Leabhar Scileanna

Rang a Sé

MÁIRE NIC AN BHAIRD

Clár

Cairde *Cosán na Gealaí*

Evan
Mel
Meg
Anna
Ella
Tom
Ava
Scott

Conas an Leabhar seo a Úsáid

An Clár go Ginearálta

Is clár cuimsitheach Gaeilge é *Cosán na Gealaí* – clár spraíúil idirghníomhach atá ailínithe go hiomlán le Curaclam Teanga na Bunscoile. Cur chuige cumaisc, idir chlóite agus digiteach, atá ann agus tugtar deiseanna cumarsáide i ngach ceacht. Ar an bhfoghlaim ghníomhach agus ar an bhfoghlaim allamuigh a chuirtear an bhéim, agus úsáidtear an dúlra agus an fhoghlaim ghníomhach chun cabhrú le leanaí ó Rang a Trí go Rang a Sé taitneamh a bhaint as an nGaeilge.

Téamaí agus Pleanáil

Tá *Cosán na Gealaí* eagraithe i bhfoirm téamaí atá gaolmhar le Curaclam Teanga na Bunscoile. Ocht n-aonad déag oibre atá ann agus maireann gach aonad coicís. Luaitear na torthaí foghlama ar gach leathanach agus cuidíonn siad leis an bpleanáil. Is féidir na pleananna coicísiúla, atá ailínithe le Curaclam Teanga na Bunscoile, a íoslódáil agus a chur in eagar do do rang féin.

Leabhair Léitheoireachta

Tá ocht leabhar déag áille dhea-mhaisithe, idir fhicsean agus neamhfhicsean, ag gabháil le *Cosán na Gealaí*. Is féidir na leabhair seo a úsáid chun an fhónaic agus an ghramadach a clúdaíodh sa *Leabhar Scileanna* an mhí roimhe, a chleachtadh agus a neartú. Cabhróidh na leabhair chun éagsúlacht a chur chun cinn i measc na bhfoghlaimeoirí agus tá nasc soiléir iontu le Spriocanna Forbartha na Náisiún Aontaithe, ó thaobh ceartas aeráide, cothromas foghlama agus ceartas sóisialta. Léirítear meas iontu ar an bhfoghlaimeoir aonair agus cuirtear deiseanna ar fáil d'fhoghlaim teanga ina bhfuil an pobal go léir páirteach trí thimpeallacht na leanaí féin a úsáid mar spreagadh. Gheofar cultúir áitiúla agus cultúir dhomhanda sna leabhair léitheoireachta seo agus béim ar an nGaeilge mar theanga bheo.

Leabhair Pictiúr

Cuirtear gníomhaíochtaí ar fáil in aghaidh na míosa bunaithe ar leabhar pictiúr ina ndéantar forbairt ar an téama agus a thugann eispéireas taitneamhach léitheoireachta do na daltaí. Cuirtear nótaí ar fáil don mhúinteoir in *Leabhar Pleanála agus Acmhainní an Mhúinteora*. Tá foclóir ó na leabhair seo scaipthe tríd an aonad.

Litriú agus Gramadach

Déantar míreanna litrithe agus gramadaí na míosa a mhíniú go soiléir agus a cheangal ar shlí chruthaitheach ó thús deireadh chlár *Cosán na Gealaí* – trí na leabhair léitheoireachta, na leabhair scileanna, na leabhair pictiúr agus gníomhaíochtaí breise do mhúinteoirí a gheofar in *Leabhar Pleanála agus Acmhainní an Mhúinteora*. I gcomhthéacs a mhúintear an ghramadach agus spreagtar daltaí Rang a Trí go Rang a Sé le bheith ina mbleachtairí teanga ionas go mbeidh timpeallacht spraíúil ann ina mbeidh fonn ar na daltaí ceisteanna a chur.

Measúnú agus Idirdhealú

Tá measúnú coicísiúil agus míosúil leagtha amach chun measúnú agus monatóireacht a dhéanamh ar fhoghlaim na ndaltaí agus iad ag gabháil tríd an gclár. Gheofar acmhainní don mheasúnú in *Leabhar Pleanála agus Acmhainní an Mhúinteora*, agus gníomhaíochtaí mionathraithe agus gníomhaíochtaí breise sa leabhar sin agus ar www.gillexplore.ie.

An Teanga Bheo

Tugtar deis do na páistí feabhas a chur ar a scileanna éisteachta trí thrialacha cluastuisceana a dhéanamh. Cuirtear fiseáin tharraingteacha ar fáil gach mí, a dhéanann nasc leis na téamaí agus leis na Cineálacha Téacsanna Labhartha. Foghlaimíonn na páistí stór focal agus eiseamláirí teanga le húsáid i gcomhrá. Tábharfaidh sé seo deis do pháistí teanga ó bhéal a úsáid le chéile. Sa chaoi seo, tuigeann na páistí gur teanga bheo í an Ghaeilge.

Cultúr

Is mór an bhéim atá ar chultúr agus ar oidhreacht na hÉireann sa chlár. Tá téamaí difriúla roghnaithe ag gach leibhéal. Foghlaimíonn na páistí faoi thírdhreach, cheol, oileáin agus logainmneacha na hÉireann. Sa chaoi seo, feictear go bhfuil an teanga fite fuaite i gcultúr agus oidhreacht na tíre. Foghlaimíonn na páistí faoi seo ar chaoi spraíúil agus tarraingteach.

Ainmhithe agus Daoine Cáiliúla

Cultúr D'oileán – Do Rogha!

In bhur mbeirteanna, déanaigí taighde ar oileán amháin amach ó chósta na hÉireann.

Líon isteach an t-eolas.

Bain úsáid as www.logainm.ie chun cabhrú leat!

Ainm an oileáin: ________________

An contae: ________________

Cúig logainm ar an oileán:

1. ________________ 2. ________________ 3. ________________
4. ________________ 5. ________________

Daonra an oileáin: ________________

Ainmhithe ar an oileán: ________________

Teanga: ________________

Aon daoine cáiliúla a chónaigh ann? ________________

Tarraing an t-oileán sa bhosca seo:

A Mar rang, cruthaigh damhsa don scéal.

Déan aithris ar ainmhithe a mhaireann san Amasóin. Tarraing an ghluaiseacht agus scríobh síos an ghníomhaíocht.

Léim in airde cosúil le moncaí!
Cas timpeall!
Croith do chos chlé!

Gramadach | An Aimsir Chaite

A Cuir líne faoin Aimsir Chaite sa téacs.

James Dyson

folúsghlantóir

Is duine cáiliúil é James Dyson. Chruthaigh sé folúsghlantóir Dyson. Tá clú agus cáil ar an bhfolúsghlantóir seo. Chónaigh James Dyson in Norfolk nuair a bhí sé óg. D'fhreastail sé ar Choláiste Ríoga na hEalaíne i Londain idir 1966–70. Chruthaigh sé comhlacht Dyson sa bhliain 1974. Scríobh sé a bheathaisnéis *Against the Odds* sa bhliain 1997. Bhí sé ina chónaí i Singeapór. Tá sé ar ais sa Bhreatain anois. Chruthaigh sé triomadóir gruaige freisin. Úsáideann daoine cáiliúla ar nós Ariana Grande, Taylor Swift agus Olivia Rodriguez an triomadóir gruaige seo.

triomadóir gruaige

Olivia Rodriguez

B Scríobh trí abairt san Aimsir Chaite fút féin.

Léigh do do chara chainte iad.

1. ______________________________
2. ______________________________
3. ______________________________

Aimsigh na briathra. Tá siad san Aimsir Chaite.

chuir	thóg
ghlan	scríobh
d'ith	léigh
d'ól	d'fhág
d'aimsigh	d'éist

t	g	h	l	a	n	s	a	l	d'
r	h	o	a	f	f	c	s	a	a
a	c	ó	i	l	i	r	t	o	i
n	d	o	g	k	o	í	w	d	m
d'	f	h	á	g	o	o	d'	ó	s
c	e	e	p	z	d'	b	i	i	i
m	h	i	i	ó	ó	h	t	r	g
a	l	u	l	r	l	i	h	e	h
r	k	a	i	l	é	i	g	h	d
n	d	i	q	r	d'	é	i	s	t

Snáithe: Léitheoireacht **Gné:** Tuiscint TF 5
Snáithe: Scríbhneoireacht **Gné:** Cumarsáid TF 4

 **Téigh ar shiúlóid le do rang.**

Céard iad na comharthaí Gaeilge a fheiceann tú?

1. Scríobh síos na comharthaí Gaeilge a fheiceann tú sa scoil, sa timpeallacht scoile agus sa bhaile mór.

____

____

____

____

____

2. Scríobh comharthaí nua Gaeilge don scoil, don chlós agus don bhaile mór.

____

____

____

____

____

Snáithe: Léitheoireacht **Gné:** Fiosrú agus úsáid TF 10
Snáithe: Scríbhneoireacht **Gné:** Cumarsáid TF 1

Gníomhaí Óg Cáiliúil

An Teanga Bheo

Róil an Ghrúpa Chomhoibrithigh

Féach ar an bhfíseán.

In bhur ngrúpaí, freagraígí na ceisteanna seo a leanas.

1. Cén dáta é?

2. Cad is ainm don láithreoir?

3. Cén t-am é?

4. Cad is ainm don fhón nua?

5. Cad is ainm don duine cáiliúil?

6. Cén boladh is fearr le Rita?

Snáithe: Teanga ó bhéal **Gné:** Tuiscint TF 5, 6

Seánra: Athinsint

A Cuir isteach an t-eolas atá ar iarraidh.

Tá na freagraí sa leabhar seánra neamhfhicsin.

1. Is gníomhaí í Malala Yousafzai. Is as an ______________________________ í.
2. Rugadh ar an 12 Iúil __________ í.
3. Bhí an ______________ i gceannas i gceantar Malala agus dhún siad scoileanna na gcailíní.
4. Thosaigh Malala ag troid chun __________ a fháil do ________________ dul ar ais ar scoil.
5. Sa bhliain ___________ thug Malala a ______________ ______________, 'How Dare the Taliban Take Away My Basic Right to Education?'

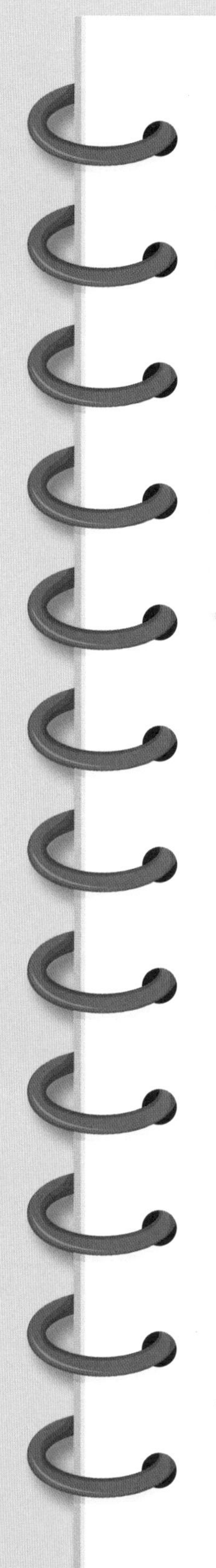

6. Sa bhliain __________ d'ionsaigh an Talaban Malala.
7. Tháinig Malala slán agus labhair sí amach mar gheall ar thábhacht an ____________________ do chailíní.
8. Bhuaigh Malala go leor ______________. Sa __________ 2014 bhuaigh sí Duais __________ na ____________________.
9. Sa bhliain ________ d'inis Malala a scéal féin sa ____________________ ____________________ *Malala's Magic Pencil*. Is _________________________ é an leabhar seo.

10. D'fhreastail Malala ar Ollscoil Oxford i __________________. Chríochnaigh sí a _________ in 2020.

Fónaic/Litriú — Dréimire Focal

A In bhur mbeirteanna, imrígí an cluiche.

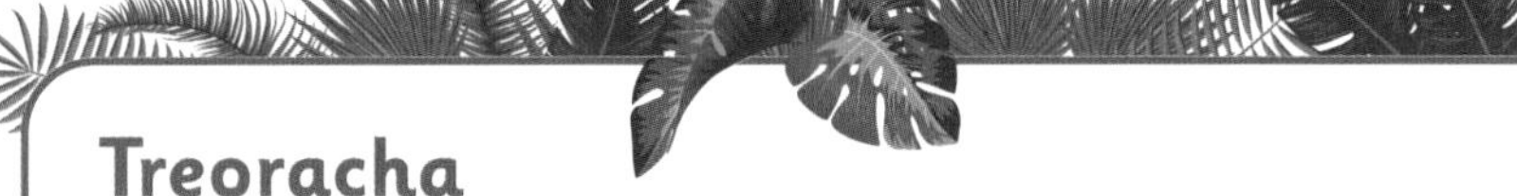

Treoracha

1. Roghnaigh deich bhfocal ón scéal *Laika san Amasóin*.
2. Scríobh na focail ar an dréimire.
3. Le do chara cainte, léigh focal amach os ard ón dréimire agus iarr ar do chara an focal a litriú i gceart.
4. Má litríonn sí/sé i gceart é, cuir a hainm nó a ainm ar an dréimire!

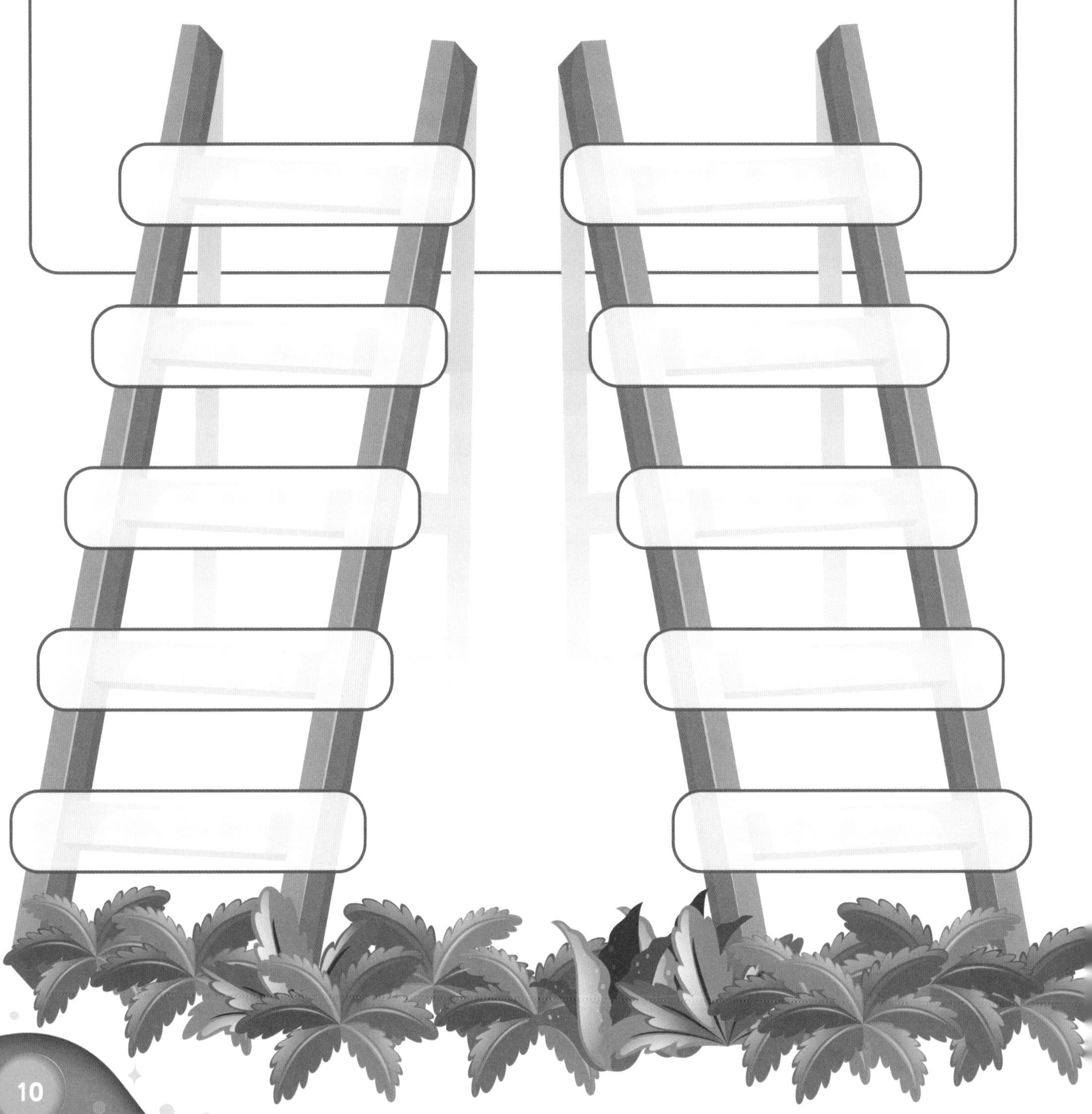

B Cuirigí na clanna le chéile.

Leabhar Pictiúr — The Lion and the Mouse

A Féach ar na pictiúir sa scéal.
Scríobh síos an méid a fheiceann tú.

Feicim ______________________________

____

B In bhur ngrúpaí, scríobhaigí an scéal.
Úsáid foclóir chun cabhrú leat.

____

____

____

____

____

____

____

____

C Aistrigh *The Lion and the Mouse* chuig na teangacha seo.
Bain úsáid as an idirlíon más gá.

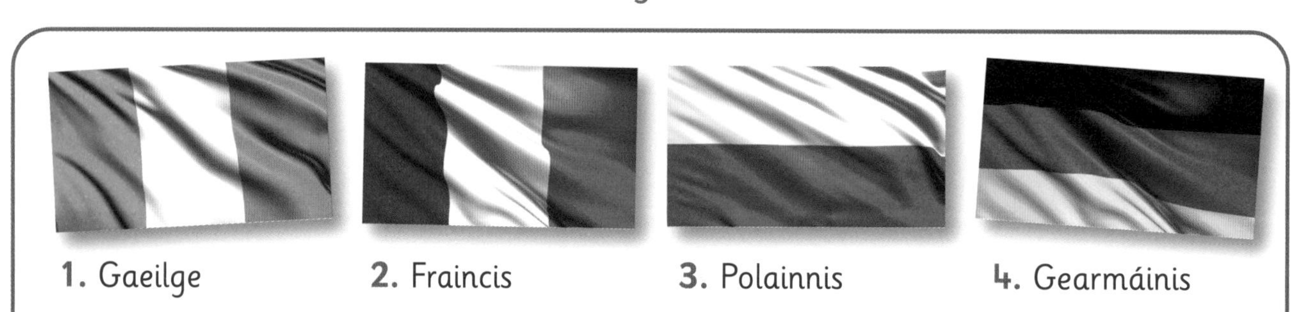

1. Gaeilge ______________
2. Fraincis ______________
3. Polainnis ______________
4. Gearmáinis ______________

Snáithe: Léitheoireacht **Gné:** Cumarsáid TF 1
Snáithe: Scríbhneoireacht **Gné:** Cumarsáid TF 1

Oíche Shamhna

3

Cultúr Timpeall na Tíre

A In bhur mbeirteanna, scríobhaigí ainm na háite faoin bpictiúr.

1.	2.
______________________ Contae: C______________________	______________________ Contae: B______________ Á________ C______________
3.	4.
______________________ Contae: An M______________________	______________________ Contae: B______________ Á________ C______________
5.	6.
______________________ Contae: G______________________	______________________ Contae: L______________________

A Léigh an abairt agus tarraing pictiúr.

Léim Theo agus Alice isteach i mbáidín agus thosaigh an bheirt acu ag rámhaíocht go láidir.	
Shroich Theo agus Alice an bruach eile den abhainn. Bhí na mumaithe ina seasamh díreach os a gcomhair amach.	
Cosúil le zombaithe, tháinig na mumaithe trasna chuig Alice agus Theo, iad níos cairdiúla anois!	

B Cuir ciorcal ar na samplaí den Aimsir Chaite.

C Féach ar na pictiúir ón scéal.

Scríobh abairt amháin mar gheall ar gach pictiúr.

Gramadach An Séimhiú

A In bhur mbeirteanna, léigí an t-eolas.

séimhiú = 'h'

Leanann séimhiú focail áirithe sa Ghaeilge. Mar shampla:

- na huimhreacha 1–6 **+ séimhiú** = dhá bhord, trí chapall, cúig pheann

- mo, do, a (buachaill) **+ séimhiú** = mo mhadra, do mhála, a chóta

- de, do, faoi, mar, ó, roimh, sa, trí, um **+ séimhiú** = do Sheán, mar mhúinteoir, ó Shíle, sa bhosca, trí thimpiste, um Cháisc

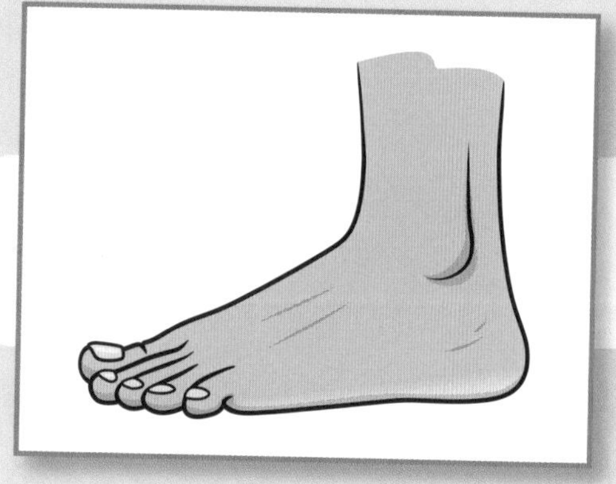

- focail bhaininscneacha = an bhean, an fhuinneog, an Fhrainc, an chos

B Léigh na habairtí thíos.

Cuir ciorcal timpeall ar gach séimhiú. Scríobh amach na habairtí i do chóipleabhar.

1. Tá an bhean ag canadh sa choláiste.
2. Rachaidh mé go dtí an Ghaeltacht um Cháisc.
3. Rinne mé é sin trí thimpiste.
4. Tabhair an mála do Thomás!

5. Cuir an bia isteach sa chuisneoir.
6. Tá cúig pheann sa mhála.
7. Inis dom an scéal sin faoi Mháire.

8. Feicim trí chapall agus ceithre mhadra.
9. Beidh an aimsir go deas sa Ghearmáin.
10. Tá an Fhrainc ag imirt sa chluiche.

Snáithe: Teanga ó bhéal **Gné:** Tuiscint TF 4
Snáithe: Léitheoireacht **Gné:** Tuiscint TF 6

Foghlaim Allamuigh Zombaí, Zombaí, Púca!

A Téigh amach sa chlós.

Mar rang, imir an cluiche Zombaí, Zombaí, Púca (cosúil leis an gcluiche Lacha, Lacha, Gé).

B Scríobh oideas d'anraith zombaí.

Sampla

1 ollphéist
2 dhamhán alla
2 phéist
2 chupán uisce
3 eachtrán

D'oideas

C Tarraing ceann zombaí.

Mistéirí

4

An Teanga Bheo Tuairiscí ó Bhéal

Féach ar an bhfíseán.

Tarraing pictiúr d'aon rud a chloiseann tú sa scéal.

Éist leis an scéal arís.

Freagair na ceisteanna seo a leanas.

1. Cad is ainm don damhán alla?

____

2. Cé mhéad sióg atá sa scéal seo?

____

3. Conas atá an aimsir ann?

____

____

4. Cá raibh an fathach ina shuí?

____

____

Snáithe: Léitheoireacht **Gné:** Tuiscint TF 6
Snáithe: Scríbhneoireacht **Gné:** Tuiscint TF 5

Seánra: Athinsint

A In bhur mbeirteanna, léigí an script amach os ard.

Páiste 1: Ar chuala tú riamh faoi Thriantán Bheirmiúda nó faoi Thriantán an Diabhail?

Páiste 2: Níor chuala!

Páiste 1: Bhuel ... Chuala mé an scéal seo ó m'athair. Is píolóta é.

Páiste 2: Lean ort!

Páiste 1: Is ceantar mistéireach é Triantán Bheirmiúdach idir Meiriceá, Beirmiúda agus Pórtó Ríce.

Páiste 2: Ní raibh mé riamh i Meiriceá ná i mBeirmiúda!

Páiste 1: Tá cruth triantáin ar an gceantar. D'imigh 50 bád agus 20 eitleán as radharc sa cheantar seo.

Páiste 2: 50 bád ... agus 20 eitleán? M'anam, is mór an méid é sin.

Páiste 1: Níl aon duine cinnte cén fáth ar imigh na báid agus na heitleáin as radharc. Ceapann m'athair go bhfuil cúis osnádúrtha leis.

Páiste 2: Ar tharla aon rud do d'athair sa cheantar sin?

Páiste 1: Níor tharla, ach bíonn sé an-chúramach agus bíonn eagla air nuair a bhíonn sé ann.

Páiste 2: Tá eagla ormsa freisin!

B Tá Triantán Bheirmiúda an-mhistéireach. Conas a mhothaíonn daoine ag dul tríd an gcentar?

Cuir tic leis an triantán ceart i do thuairim.

A **Cuir an dath céanna ar fhocail a bhfuil an patrún céanna acu.**

Úsáid foclóir do na focail nach bhfuil ar eolas agat.

cairéad	sleamhnán	méar
timpeallán	céad	ailgéabar
bindealán	mumaí	béal
spúcaí	rámhaí	púcaí
iománaí	scannán	béar
Béarla	moncaí	claí
ballaí	grágán	tacsaí
féar	bonnán	éan
briochtaí	éasca	gníomhaí
lucharachán	cliabhán	dearbhán

Foclóir

B **Aimsigh sé fhocal nua leis na litreacha -éa (x2), -án (x2) agus -aí (x2).**

éa	-án	-aí
______	______	______
______	______	______

C Críochnaigh an crosfhocal.

Tá 'éa' i ngach freagra.

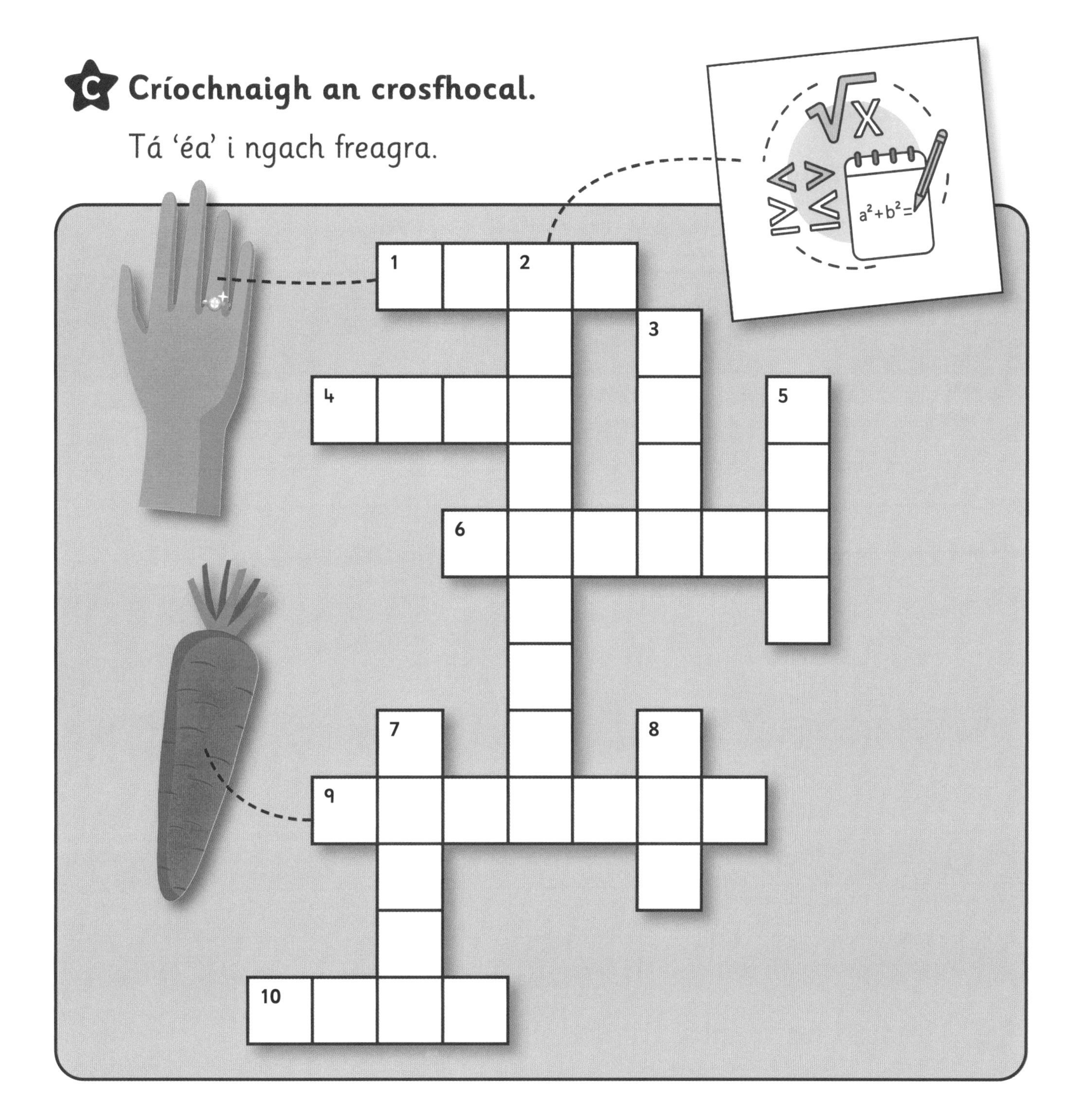

Trasna

1. Caitheann tú fáinne uirthi. (4)
4. Cuid den aghaidh (4)
6. Labhraíonn muintir Shasana an teanga seo. (6)
9. Glasra oráiste. (7)
10. Itheann na ba an rud glas seo. (4)

Síos

2. x + 2 = 4, mar shampla (9)
3. Itheann an t-ainmhí seo mil. Tá sé mór agus donn nó dubh. (4)
5. 100. (4)
7. Níl sé deacair, tá sé ... (5)
8. Eitlíonn sé sa spéir. (3)

Snáithe: Scríbhneoireacht **Gné:** Cumarsáid TF 1; Tuiscint TF 5

A Féach ar na pictiúir sa scéal.

Déan liosta de na carachtair ar fad sa scéal.

____

____

____

____

B Líon isteach an phróifíl seo den údar Máire Zepf.

Próifíl

Ainm: Máire Zepf

Áit chónaithe: ______________________

Leabhair éagsúla a scríobh/a d'aistrigh sí: ______________________

____

____

____

C Aimsigh na focail.

A	M	I	L	L	T	E	A	N	A	C	H	R	E
M	R	D	G	G	T	T	R	O	M	L	U	Í	H
E	A	P	E	N	E	A	S	C	Ó	I	D	Í	U
M	R	U	A	F	Á	S	A	C	H	N	W	M	C
F	M	F	S	T	C	A	I	L	L	E	A	C	H
D	C	G	A	I	G	R	Á	N	N	A	A	T	J
Ú	I	N	T	I	N	N	Q	É	L	Í	G	P	M
D	E	O	C	H	D	R	A	Í	O	C	H	T	A
Ó	U	Q	T	E	U	E	A	L	F	E	Ú	C	P
A	E	I	L	D	L	Ú	M	F	A	I	B	L	P

deoch draíochta
gránna
lofa
intinn
cailleach
geasa
neascóidí
tromluí
millteanach
uafásach

Laochra

Cultúr Uachtaráin

A Léigh an t-alt seo faoi uachtaráin.

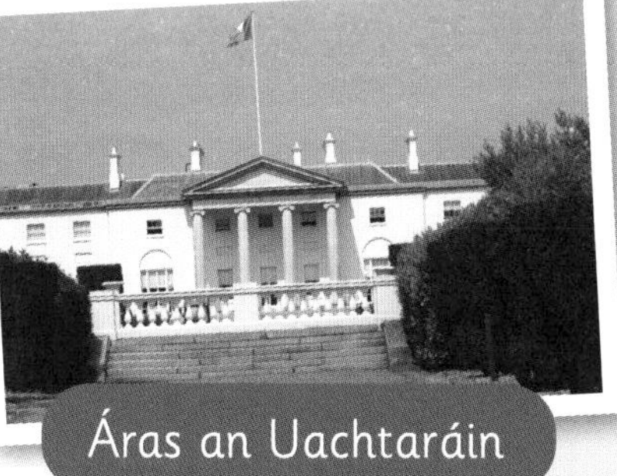
Áras an Uachtaráin

Cónaíonn Uachtarán na hÉireann in Áras an Uachtaráin, i bPáirc an Fhionnuisce i mBaile Átha Cliath. Is teach mór bán é Áras an Uachtaráin.

Is páirc an-mhór í Páirc an Fhionnuisce. Bíonn fianna agus ainmhithe iontacha le feiceáil timpeall na páirce.

Dubhghlas de hÍde

Fadó, fadó, bhí Dubhghlas de hÍde ina chónaí in Áras an Uachtaráin. Ba é Dubhghlas de hÍde an chéad uachtarán ar Éirinn.

Ba laoch é Dubhghlas de hÍde. Bhí Gaeilge iontach aige.

B Tarraing Áras an Uachtaráin nó Dubhghlas de hÍde.

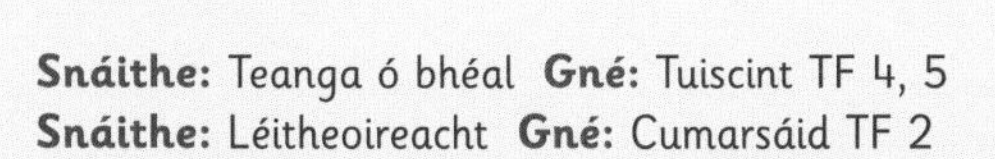
Snáithe: Teanga ó bhéal **Gné:** Tuiscint TF 4, 5
Snáithe: Léitheoireacht **Gné:** Cumarsáid TF 2

A Freagair na ceisteanna. Ansin, léigh an scéal.

1. Cad is brí le 'seas an fód'? Tarraing/Scríobh an freagra.

2. An bhfuil an scéal seo brónach nó sona, meas tú?

   Brónach ☐ Sona ☐

3. An mbeidh bulaí sa scéal, meas tú?

   Beidh ☐ Ní bheidh ☐

B Scríobh 'Seas an Fód' i stíl graifítí.

C Tar éis an scéal a léamh, déan comparáid idir Saoirse agus Senan agus Lila.

Cuir ✔ nó ✘ faoi na hainmneacha agus tabhair cúis le do fhreagra.

Tréith	Saoirse agus Senan	Lila	Cén fáth?
macánta			
cróga			
measúil			
feargach			

D Freagair na ceisteanna.

1. Ainmnigh an spórt atá luaite sa scéal.

____

2. Cén lá a bhí ann?

____

3. Cén t-ainm a bhí ar an madra?

____

A Cuir camóga (,) sna háiteanna cearta.

1. Ceathrar atá sa teaghlach – Mamaí Saoirse Senan agus Sceolán an madra.
2. 'Nílimid ag dul ann a Mham. Nílimid ag iarraidh dul go dtí an club sin a thuilleadh' arsa Saoirse go ciúin.
3. 'Táimid macánta cróga measúil láidir agus cineálta a Lila ... ní féidir é sin a rá fútsa.'
4. Is duine deas cróga macánta measúil agus láidir í Saoirse.
5. 'Ar fheabhas a Mham ar fheabhas!' arsa an bheirt le chéile.

B Maisigh an chamóg.

Úsáid Leabhar Cheanannais mar inspioráid.

A In bhur mbeirteanna, scríobhaigí néal focal le cailc.

Cuir na focail seo a leanas isteach ann agus déan ealaín timpeall na bhfocal.

B Déan na tascanna.

1. Léigh na focail sa néal focal a chruthaigh tú.
2. Buail amach na siollaí i ngach focal.
3. Úsáid na focail ón néal focal leis na frásaí seo a chríochnú.
   - Tá mé ________________________.
   - Tá mé ________________________.
   - Is duine ________________________ mé.
   - Is duine ________________________ mé.
   - Is duine ________________________ mé.
   - Is duine ________________________ mé.
   - Is ________________________ mé.

An Dara Cogadh Domhanda

An Teanga Bheo Comhpháirtí agus Grúpa Beag

Féach ar an bhfíseán.

Freagair na ceisteanna seo a leanas.

1. Cé mhéad duine atá san fhíseán?

___

2. Cén dáta é san fhíseán?

___

3. Cén leabhar atá á léamh acu?

___

4. Cá bhfuil siad?

___

5. An bhfuil camóg ar an bpóstaer?

___

6. Scríobh síos an scéal grinn a d'inis siad.

___

___

___

Snáithe: Teanga ó bhéal **Gné:** Cumarsáid TF 3; Tuiscint TF 4
Snáithe: Léitheoireacht **Gné:** Tuiscint TF 6
Snáithe: Scríbhneoireacht **Gné:** Tuiscint TF 5

Seánra: Insint

Féach ar an leathanach ón dialann agus freagair na ceisteanna.

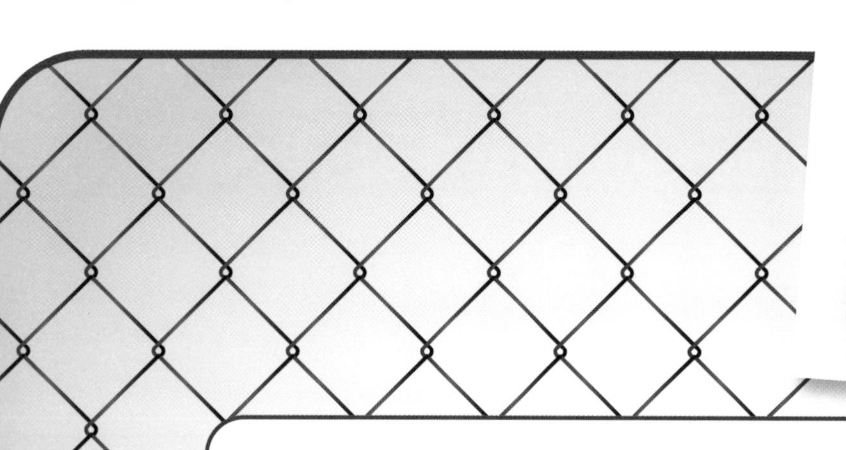

1. Céard a scríobh John Boyne?

____

____

2. Cé hé an príomhcharachtar?

____

____

3. Cén aois é?

____

4. An bhfuil cara aige?

____

5. An bhfuil siad sa Ghearmáin nó in Éirinn?

____

____

Bhí cónaí ort in Éirinn i 1942. Caithfidh tú leabhar ciondála a chruthú.

Cad a roghnóidh tú? Scríobh liosta bianna.

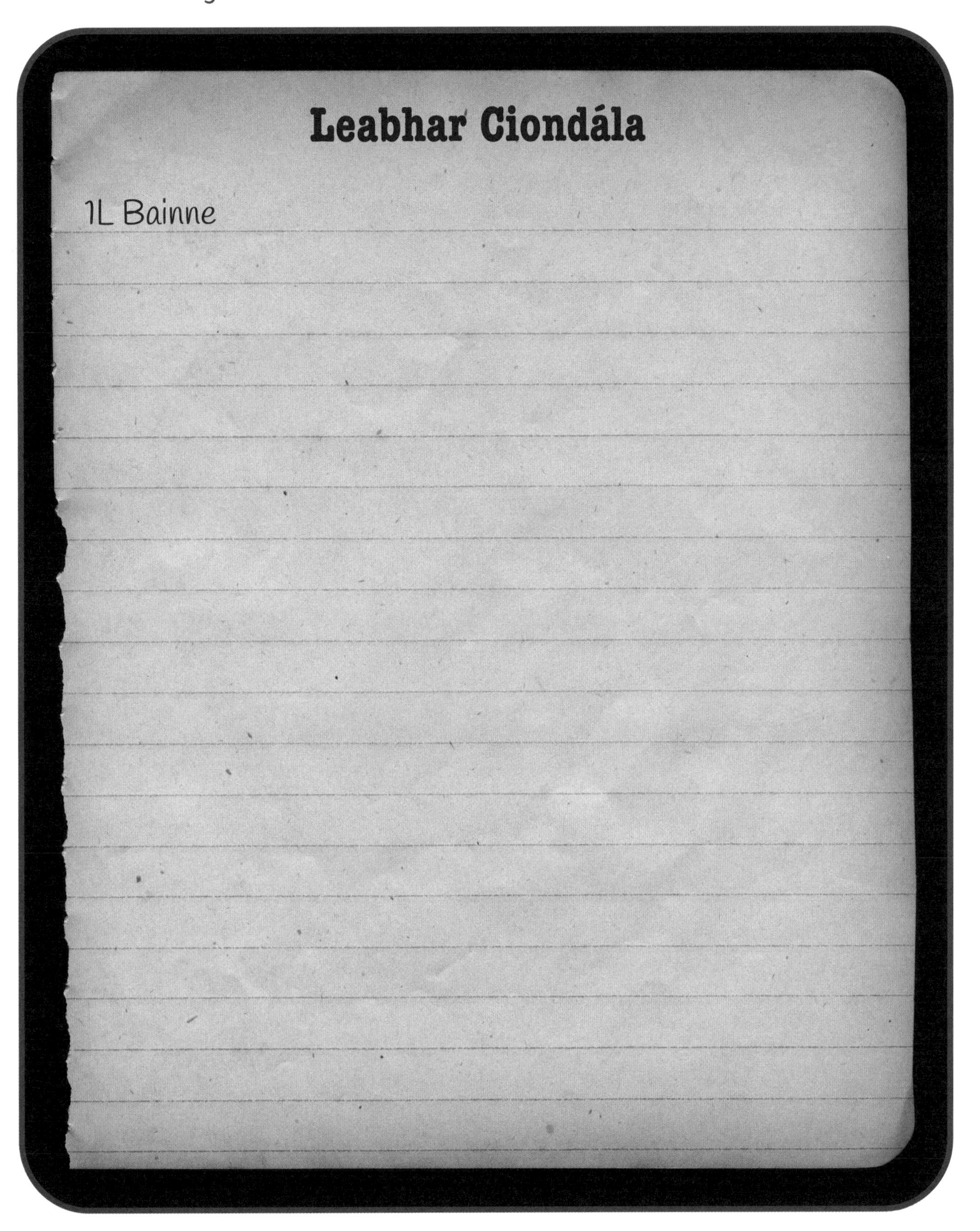

Fónaic/Litriú Uatha agus Iolra

 Léigh na focail os ard. Féach go géar.

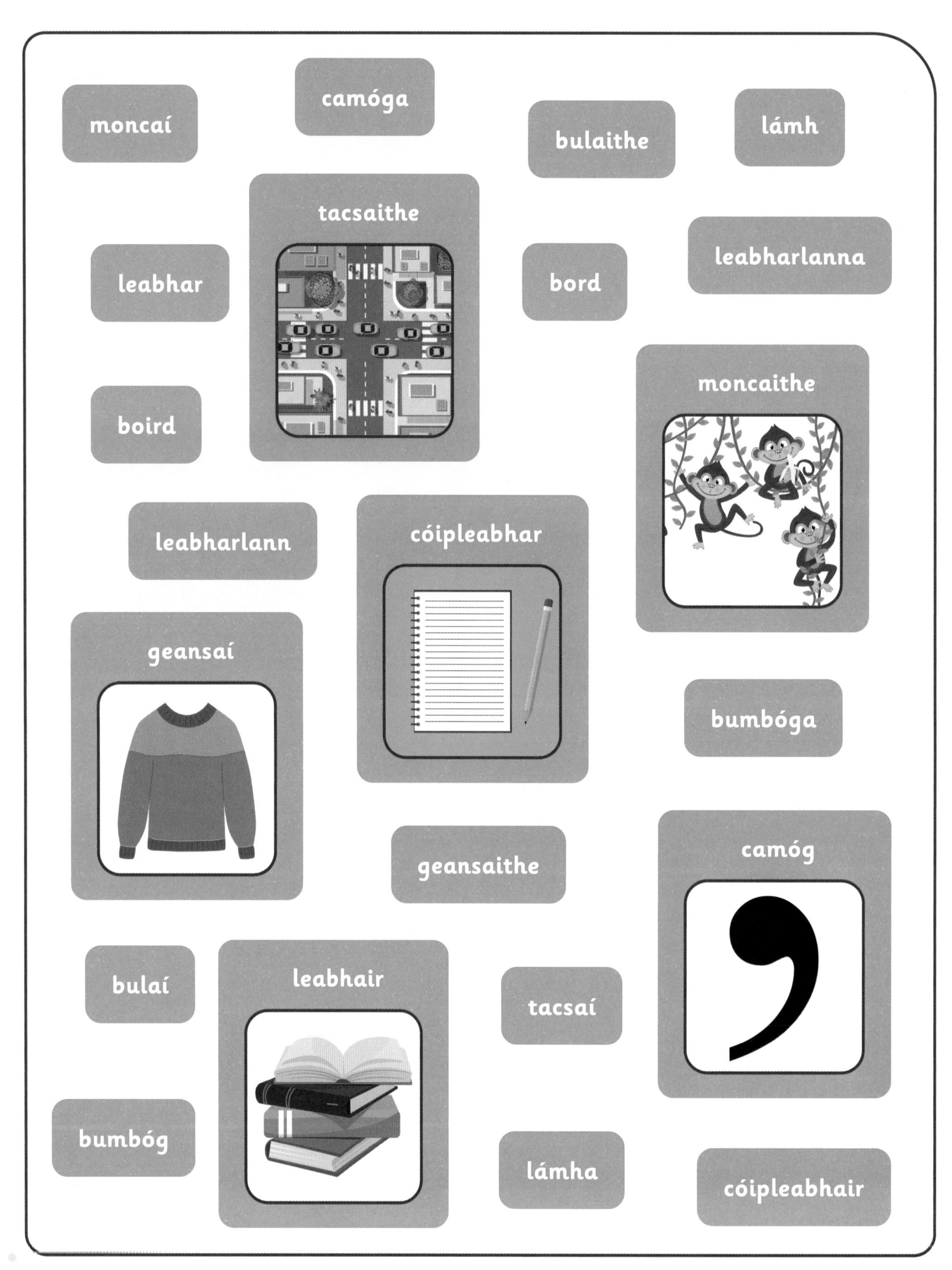

 **Scríobh an leagan uatha ar an gcéad líne. Scríobh an leagan iolra ar an dara líne.**

Uatha	Iolra
moncaí	moncaithe

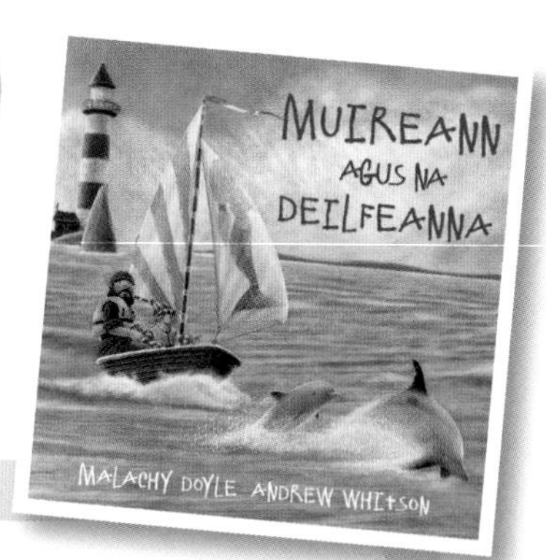

A Léigh an leabhar.

Scríobh síos na habairtí idir uaschamóga ('...').

Cad a dúirt Muireann?	Cad a dúirt athair Mhuireann?

B Tá na focail seo le feiceáil sna pictiúir.

Déan iarracht iad a oibriú amach!

1. eacht sloasi ______________________ ______________________
2. feadelinna ______________________
3. dáb ______________________
4. eánfaoli______________________
5. nageach ______________________
6. nontta ______________________

Spraoi sna Sléibhte

Cultúr **Sléibhte na hÉireann**

In bhur mbeirteanna, féachaigí ar léarscáil na hÉireann.

Aimsigh na sléibhte atá ar an liosta seo. Scríobh na hainmneacha sna háiteanna cearta timpeall na tíre.

Bain úsáid as www.logainm.ie chun cabhrú leat!

Néifinn
Na Beanna Boirche
Na Gaibhlte
Cruach Phádraig
Na Cruacha Dubha agus Corrán Tuathail
Ó Cualann

Leabhar Ficsin Corrán Tuathail

A Freagair na ceisteanna. Ansin, léigh an scéal.

1. Céard é Corrán Tuathail?

____

2. Cá bhfuil Corrán Tuathail?

____

3. Cé a scríobh an scéal seo?

____

B Tar éis an scéal a léamh, freagair na ceisteanna.

1. Cén t-ainm a bhí ar an gclár teilifíse?

____

2. Cad is ainm don láithreoir?

____

3. Cé a thug cead do Mhollaí dul ag dreapadh ar Chorrán Tuathail?

Thug ____

4. Cé a thug urraíocht don chlann?

Thug ____

5. Cá mbeidh Mollaí ag dul i rith an tsamhraidh?

Beidh sí ag dul ____

C In bhur mbeirteanna, freagraígí an cheist.

Ar dhreap tú sliabh riamh?

Dhreap mé!/Níor dhreap mé!

D In bhur ngrúpaí, léigí an scéal os ard.

Roghnóidh múinteoir grúpa leis an scéal a dhéanamh i ndráma beag os comhair an ranga.

Gramadach Na Bunuimhreacha

A Bí ag comhaireamh!

Bí cúramach: 1–6 = + séimhiú; 7–10 = + urú

planda amháin/aon phlanda amháin 

dhá phlanda 

____________________ 

____________________ 

____________________ 

____________________ 

seacht bplanda 

____________________ 

____________________ 

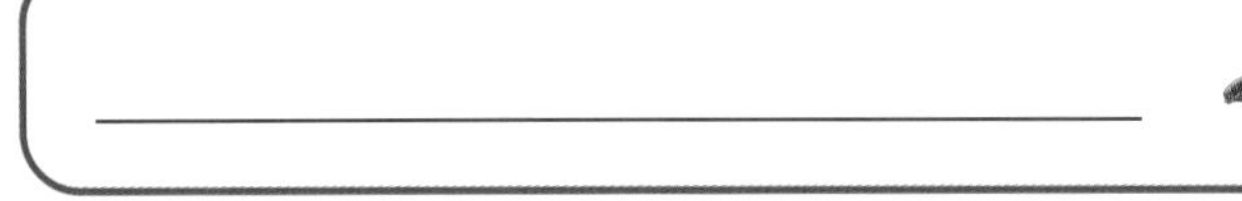 

B Scríobh na focail i gceart agus tarraing an pictiúr.

bodán meascáin	drúichtín móna	lus an bhorraigh	cuilghaiste Véineas	planda feoiliteach

adnalp hcaetilioef
níthciúrd anóm
etsiahgliuc saeniéV
nádob niácsaem
sul na hgiarrohb

A Cuir caoi ar na focail agus na frásaí seo ón scéal *Corrán Tuathail.*

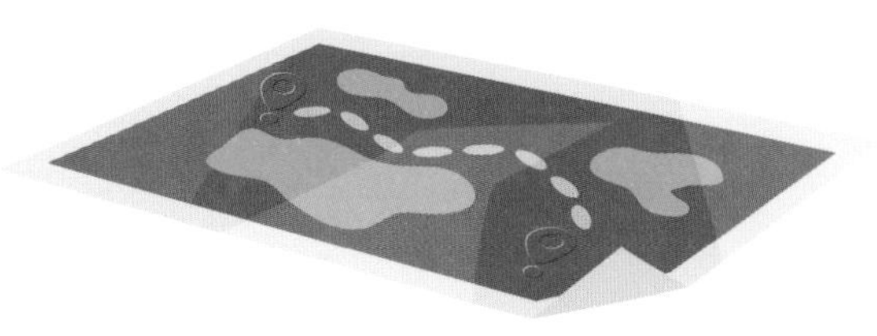

Treoracha: Téigh amach sa chlós leis an liosta seo agus scríobh i gceart ar an talamh iad. Ansin, scríobh i do leabhar iad.

Ag teastáil: foclóir, cailc, clós na scoile nó balla na scoile

An liosta

orrCán thailTua → __________ __________

neamdhag róm → __________ ______

an léibhste → ______ __________

éilduib isecu → __________ __________

tílpírei → __________

na taeránil → ______ __________

ra óns an aoghtie → ____ ______ ____ __________

íochurrat → __________

sabo draa → __________ __________

na paddreaóir gó → ______ __________ ______

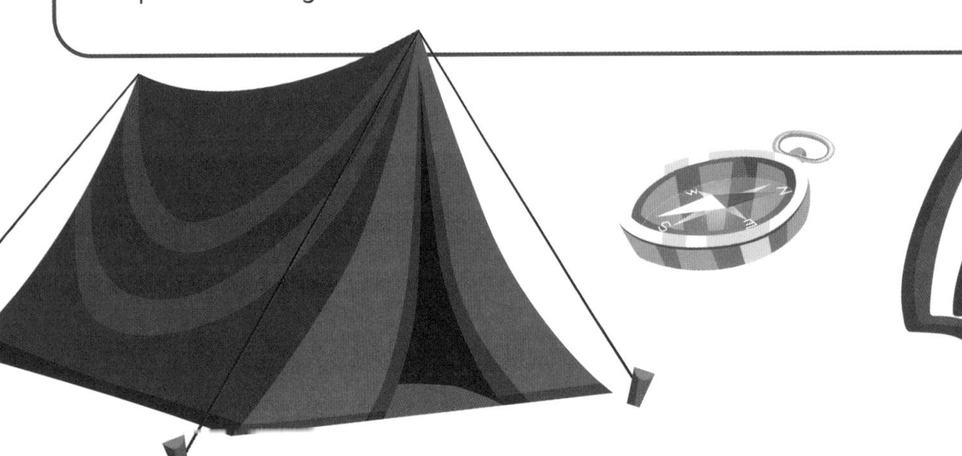

Snáithe: Teanga ó bhéal **Gné:** Tuiscint TF 5, 6
Snáithe: Scríbhneoireacht **Gné:** Cumarsáid TF 1; Tuiscint TF 3

Plandaí agus Dul Siar

An Teanga Bheo

Argóintí agus Díospóireachtaí Neamhfhoirmiúla

Féach ar an bhfíseán.

Freagair na ceisteanna seo a leanas.

1. Cé mhéad duine atá san fhíseán?

___

2. Cén planda atá san fhíseán?

___

3. Cén leabhar atá á léamh acu?

___

4. Cá bhfuil siad?

___

5. An bhfuil uaschamóg ar an bpóstaer?

___

6. Scríobh síos anseo an rud deireanach a dúirt siad.

___

___

Snáithe: Teanga ó bhéal **Gné:** Cumarsáid TF 1; Fiosrú agus úsáid TF 7
Snáithe: Scríbhneoireacht **Gné:** Tuiscint TF 3

Seánra: Scríbhneoireacht Mhínithe

A Léigh na ráitis faoin gcuilghaiste Véineas.

Cuir tic le Fíor nó Bréagach.

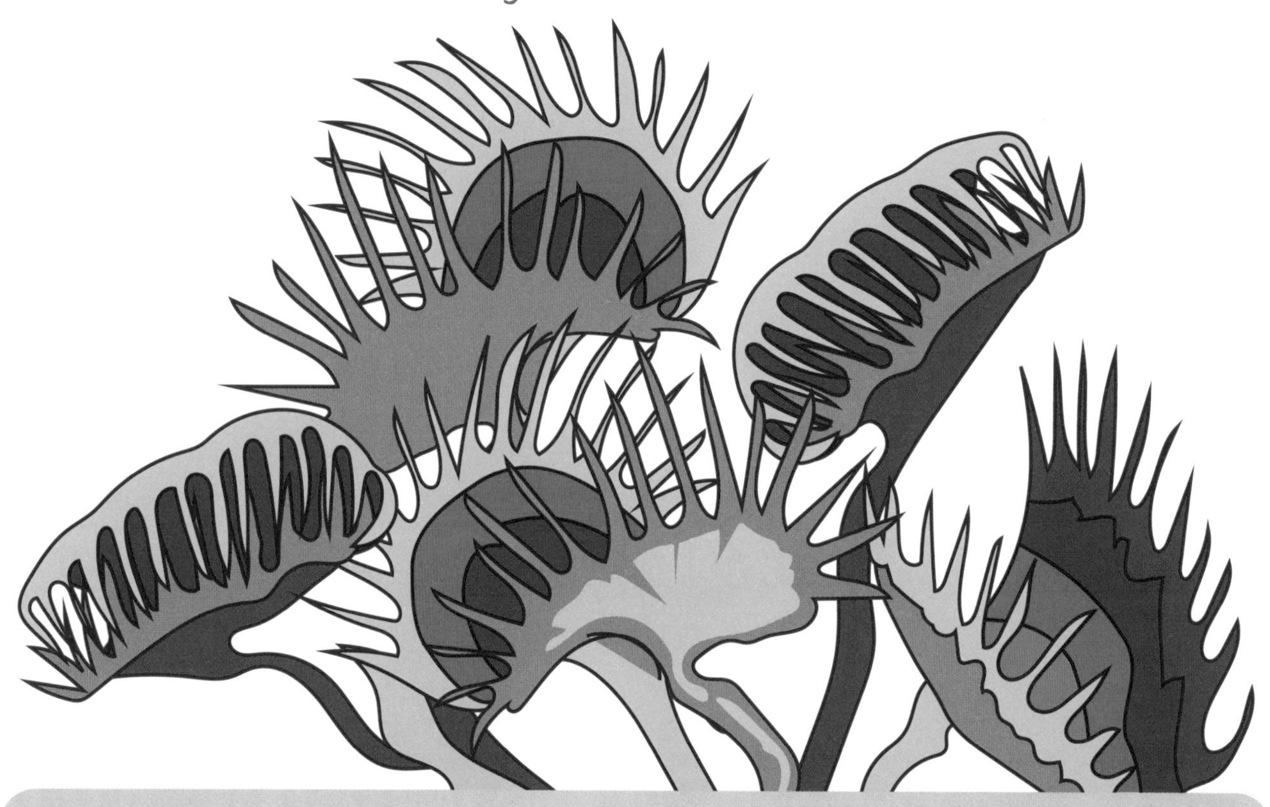

Ráiteas	Fíor	Bréagach
1. Itheann an cuilghaiste Véineas seangáin.		
2. Itheann an cuilghaiste Véineas cuileoga.		
3. Itheann an cuilghaiste Véineas foichí.		
4. Cónaíonn cuilghaiste Véineas i Meiriceá Thuaidh.		
5. Fásann cuilghaiste Véineas i scoileanna i nGaillimh.		
6. Itheann cuilghaiste Véineas páistí i Rang a Sé.		
7. Itheann cuilghaiste Véineas múinteoirí bunscoile.		

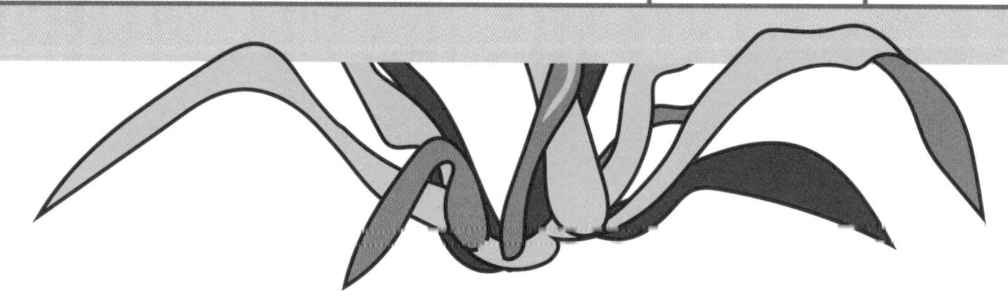

B Tarraing planda feoiliteach a fhaightear in Éirinn sa phota seo.

Scríobh isteach cúpla nóta faoi do phlanda agus mínigh an fáth ar planda feoiliteach é. Cabhróidh an leabhar neamhfhicsin leat.

Roghnaigh ón liosta seo: cuilghaiste Véineas, drúichtín móna, bodán meascáin nó lus an bhorraigh

Fónaic/Litriú Dul Siar – Uatha agus Iolra

A Líon na bearnaí.

uatha →	geansaí	tábla	
iolra →	geansaithe		bumbóga
uatha →	planda		
iolra →		sléibhte	carranna
uatha →	gníomhaíocht		leabhar
iolra →		cuileoga	
uatha →		fear	
iolra →	cupáin		mná
uatha →			páiste
iolra →	cailíní	buachaillí	

B Scríobh abairt le focal amháin san uatha agus abairt le focal amháin san iolra.

1. ______________________________

____

2. ______________________________

____

Scríobh focail, frásaí agus abairtí a chloiseann tú i rith aimsir na Nollag.

<table>
<tr><td>fear sneachta</td><td></td><td></td><td></td></tr>
<tr><td></td><td></td><td></td><td></td></tr>
<tr><td></td><td></td><td></td><td></td></tr>
<tr><td></td><td></td><td></td><td></td></tr>
<tr><td></td><td></td><td></td><td></td></tr>
<tr><td colspan="2"></td><td colspan="2"></td></tr>
<tr><td colspan="2"></td><td colspan="2"></td></tr>
<tr><td colspan="2"></td><td colspan="2"></td></tr>
<tr><td colspan="4"></td></tr>
<tr><td colspan="4"></td></tr>
<tr><td colspan="4">Nollaig shona duit!</td></tr>
</table>

Snáithe: Léitheoireacht **Gné:** Cumarsáid TF 2; Tuiscint TF 5
Snáithe: Scríbhneoireacht **Gné:** Tuiscint TF 4

A Ainmnigh na leabhair seo.

1.

2.

3.

4.
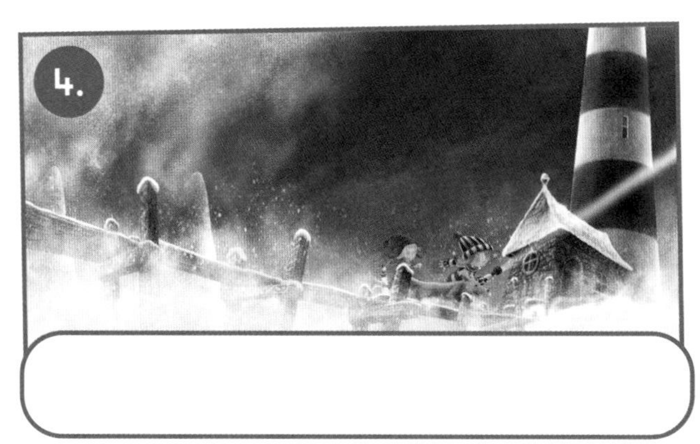

B Cruthaigh plean do leabhar nua faoi Mhuireann.

Ainm an leabhair: ____________________

Na carachtair: ____________________

____

Suíomh: ____________________

____

____

Aimsir: ____________________

____

Focail nua: ____________________

____

____

____

C Tarraing clúdach nua don leabhar seo.

Bliain Nua

9

Cultúr Focail i Logainmneacha

Scríobh síos logainmneacha a bhfuil na focail seo iontu.

Bain úsáid as www.logainm.ie chun cabhrú leat!

Mar shampla:
Cloch → Cloch na Rón (Gaillimh)

sliabh	
cnoc	
dair	
glas	
coill	
caisleán	
tobar	
ráth	

B Aimsigh do logainmneacha ar an léarscáil.

Snáithe: Léitheoireacht **Gné:** Cumarsáid TF 1
Snáithe: Scríbhneoireacht **Gné:** Tuiscint TF 3

A Cruthaigh sárlaoch nua.

Ainm: ______________________________

Fearas: ______________________________

Culaith: ______________________________

Láidreachtaí: ______________________________

Laigí: ______________________________

Sceitse

B Scríobh an méid a chloiseann tú.

Léifidh an múinteoir an chéad alt amach os ard faoi thrí. Scríobh síos na habairtí a chloiseann tú.

Gramadach | Míonna na Bliana

A Foghlaim míonna na bliana.

Eanáir	Mí Eanáir
Feabhra	Mí Feabhra
Márta	Mí an Mhárta
Aibreán	Mí Aibreáin
Bealtaine	Mí na Bealtaine
Meitheamh	Mí an Mheithimh

Iúil	Mí Iúil
Lúnasa	Mí Lúnasa
Meán Fómhair	Mí Mheán Fómhair
Deireadh Fómhair	Mí Dheireadh Fómhair
Samhain	Mí na Samhna
Nollaig	Mí na Nollag

B Ceangail an fhéile leis an mí cheart.

Lá Fhéile Pádraig	Lá Nollag	Lá Fhéile Bríde/Imbolc	Lá na nAmadán	Lá Bastille

Eanáir **Feabhra** **Márta** **Aibreán** **Meitheamh** **Bealtaine**

Iúil **Lúnasa** **Meán Fómhair** **Deireadh Fómhair** **Samhain** **Nollaig**

Lá Bealtaine	Oíche Shamhna	Lá na Marbh	Bliain Nua na Síneach	Holi	Diwali

C **In bhur ngrúpaí, faighigí breithlaethanta bhur gcairde.**

Scríobh isteach na breithlaethanta san fhéilire.

Breithlaethanta mo chairde

Ceist: Cathain a bhíonn do bhreithlá agat?

Freagra: Bíonn mo bhreithlá agam i Mí ...

Mí Eanáir	Mí Feabhra	Mí an Mhárta
Mí Aibreáin	**Mí na Bealtaine**	**Mí an Mheithimh**
Breithlá Mháire ☺		
Mí Iúil	**Mí Lúnasa**	**Mí Mheán Fómhair**
Mí Dheireadh Fómhair	**Mí na Samhna**	**Mí na Nollag**

Snáithe: Teanga ó bhéal **Gné:** Tuiscint TF 4
Snáithe: Scríbhneoireacht **Gné:** Tuiscint TF 3

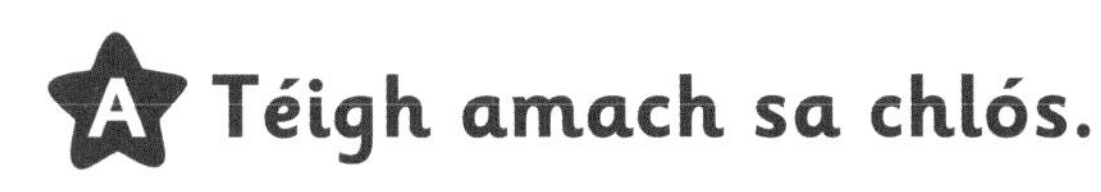

Foghlaim Allamuigh An Clóca Feasa

A Téigh amach sa chlós.

Cruthaigh an clóca feasa le chéile. Bain úsáid as clocha, craobhóga agus éadach.

B Déan liosta d'fhocail le cur síos ar shárlaoch.

Snáithe: Teanga ó bhéal **Gné:** Cumarsáid TF 1; Tuiscint TF 4
Snáithe: Léitheoireacht **Gné:** Tuiscint TF 6

Sárlaochra agus Clócaí

An Teanga Bheo | **Ceisteanna agus Agallaimh**

Féach ar an bhfíseán.

Freagair na ceisteanna seo a leanas.

1. Cén dath a bhí ar an gclóca?

____

2. Cad a shábháil an sárlaoch?
   - **a.** an cat ☐
   - **b.** an madra ☐
   - **c.** an capall ☐
   - **d.** an bhó ☐

3. Cén chathair a bhí i gceist?
   - **a.** Baile Átha Cliath ☐
   - **b.** Gaillimh ☐
   - **c.** Corcaigh ☐
   - **d.** Béal Feirste ☐

B Cuir agallamh ar do chara cainte – An Sárlaoch.

- Cad is ainm duit? __________ is ainm dom.
- Cá bhfuil tú i do chónaí? Táim i mo chónaí i __________.
- Cén dath atá ar do chlóca? Tá dath __________ ar mo chlóca.
- Cén láidreacht atá agat? __________ an láidreacht atá agam.

Mar shampla:

neart **cineáltas** **draíocht** **intinn a léamh** **an-tapa** **dofheicthe** **eitilt**

Snáithe: Teanga ó bhéal **Gné:** Cumarsáid TF 2
Snáithe: Scríbhneoireacht **Gné:** Fiosrú agus úsáid TF 6

Seánra: Tuairisc

A Féach ar an léarscáil.

Cuir X ar an Aigéan Artach agus ar an Aigéan Theas.

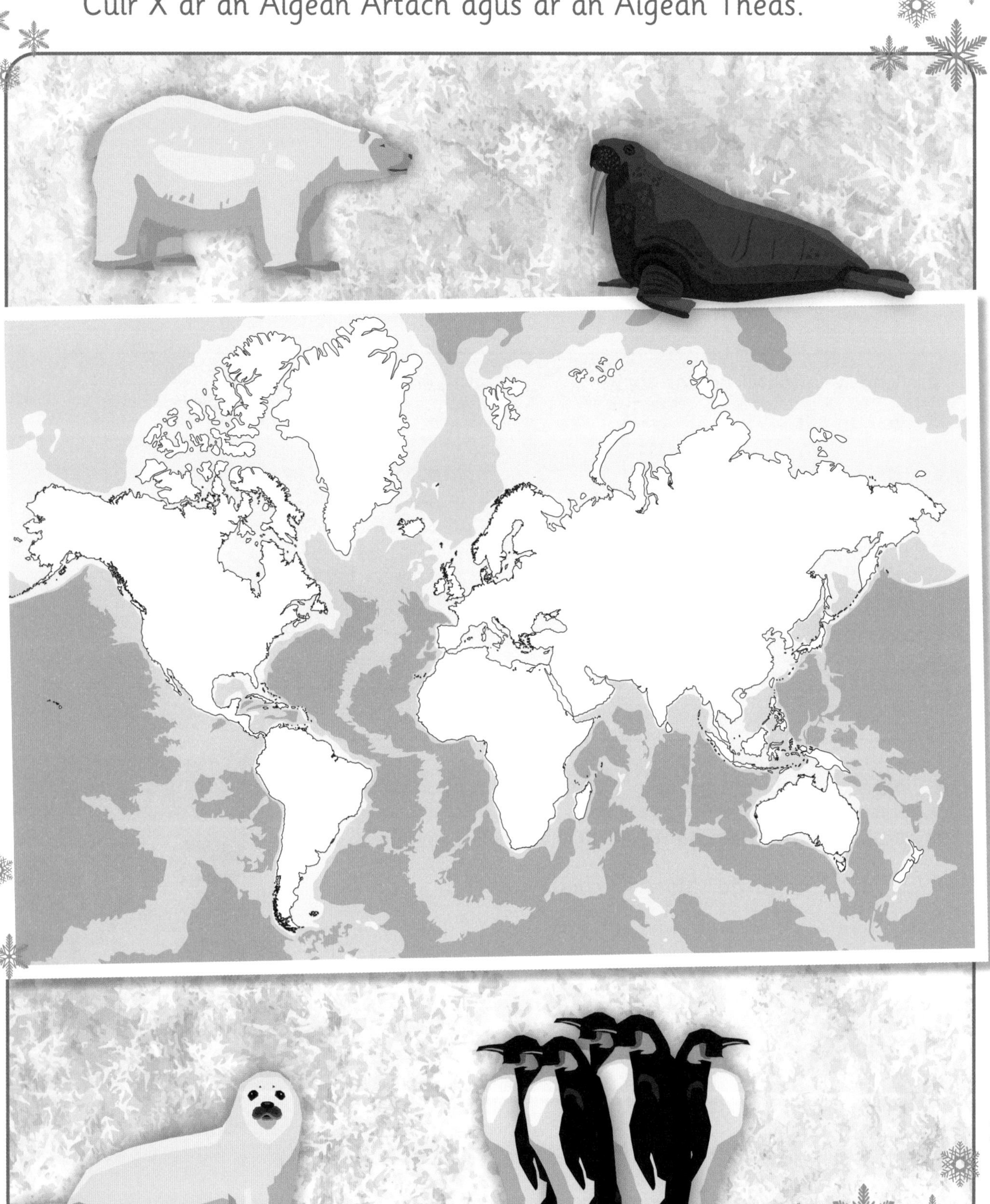

B Ainmnigh na hainmhithe. Cá bhfuil siad ina gcónaí?

Úsáid foclóir agus an t-idirlíon más gá.

1. 	2. 	3. 	4. 
piongain			
Tá cónaí orm san Aigéan Theas.	Tá cónaí orm san Aigéan Artach.		

5. 	6. 	7. 	8. 

Snáithe: Scríbhneoireacht **Gné:** Cumarsáid TF 1; Fiosrú agus úsáid TF 6

Fónaic/Litriú -ín

A Buail amach na focail agus bris suas ina siollaí iad.
Tarraing iad. Pléigí le chéile iad.

1. cailín → cail/ín ____________
2. caipín → ____________
3. báidín → ____________
4. béirín → ____________

5. Brídín → ____________
6. brístín → ____________

7. abairtín → ____________

8. máilín → ____________

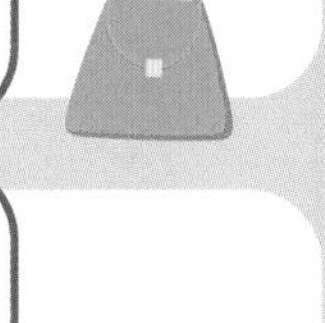

9. púicín → ____________
10. builín → ____________

B In bhur mbeirteanna, freagraígí an cheist.

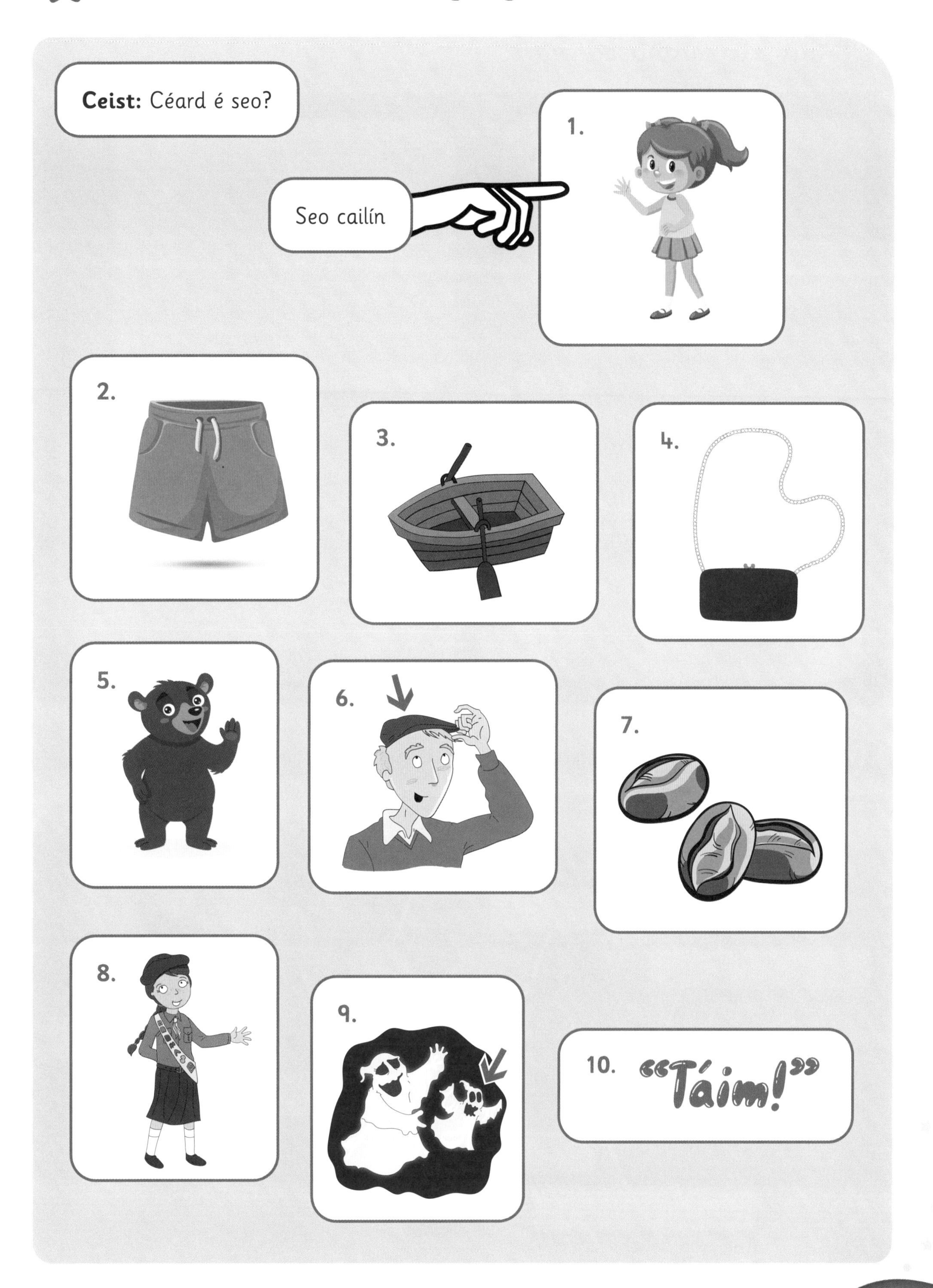

Snáithe: Léitheoireacht **Gné:** Tuiscint TF 3, 6

A Cuir tic sa bhosca ceart.

1. **a.** Is carr í Míp. ☐
   b. Is róbat spáis í Míp. ☐
   c. Is cráitéar í Míp. ☐

2. **a.** Chaith Míp dhá bhliain ar Mhars. ☐
   b. Chaith Míp trí bliana ar Mhars. ☐
   c. Chaith Míp bliain amháin ar Mhars. ☐

3. **a.** Máire Zepf a scríobh Míp agus Blípín. ☐
   b. Laoise Ní Chléirigh a scríobh Míp agus Blípín. ☐
   c. Áine Ní Ghlinn a scríobh Míp agus Blípín. ☐

4. **a.** Paddy Donnelly a mhaisigh Míp agus Blípín. ☐
   b. Steve Simpson a mhaisigh Míp agus Blípín. ☐
   c. Don Conroy a mhaisigh Míp agus Blípín. ☐

B Scríobh ainmneacha na bpláinéad.

Bleachtairí na Gaeilge

Cultúr — Cá Bhfuil Cónaí Ort?

Scríobh síos an áit ina bhfuil tú i do chónaí.

Bain úsáid as www.logainm.ie chun cabhrú leat!

Tá mé i mo chónaí i ______________________.

Freagair an cheist.

Cuir an cheist seo ar gach duine i do ghrúpa: 'Cá bhfuil cónaí ort?' Scríobh síos na háiteanna.

______________________ ______________________

______________________ ______________________

______________________ ______________________

'i' agus urú

consan	+ urú
b	mb
c	gc
d	nd

consan	+ urú
f	bhf
g	ng
m	(X urú)

consan	+ urú
p	bp
s	(X urú)
t	dt

Mar shampla:

Tá mé i mo chónaí i mBaile an Átha.

Tá tú i do chónaí i gCill Dara.

Tá sé ina chónaí i nDroichead Átha.

Tá Máire ina cónaí i bPáirc na bhFia.

Tá Seán ina chónaí i dTamhlacht.

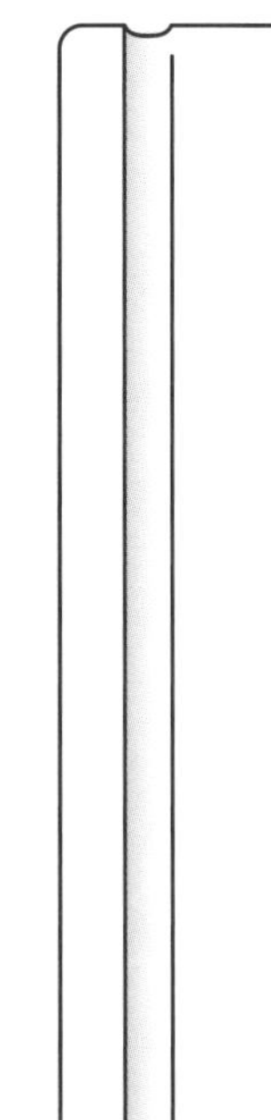

A Tarraing clúdach eile don scéal.

B Éist agus scríobh.

Léifidh an múinteoir an chéad alt amach os ard faoi thrí. Scríobh síos na habairtí a chloiseann tú.

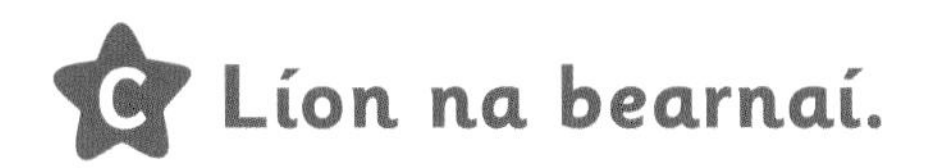

C Líon na bearnaí.

Feasa	eolas	leor	bliain	mise	
feicthe	Sheinn	agam	Tá	bhliain	go

Is mise an Crann ________________.Tá go leor ar ________________ agam. Tá go leor ______________ agam. Tá go __________ cloiste agam. Rugadh 800 ________________ ó shin mé. ____________ Tomás an tSíoda an liúit thíos fúm sa bhliain 1537.

Is __________ an Crann Feasa. Tá go leor ar eolas _________. Tá _________ leor feicthe agam. _______ go leor cloiste agam. Chonaic mé Dubhghlas de hÍde ag labhairt le W.B. Yeats anseo sa ________________ 1892.

Gramadach | Na Réamhfhocail

A Léigh an t-eolas.

Réamhfhocail

do + séimhiú = *Thug mé an leabhar do Shorcha.*

de + séimhiú = *Bhain mé an cóta de Mháire.*

sa + séimhiú = *Bhí pinn sa mhála.*

don + séimhiú = *Thug mé an leabhar don chailín.*

B Cuir ciorcal timpeall ar na réamhfhocail 'do', 'de', 'sa' agus 'don'.

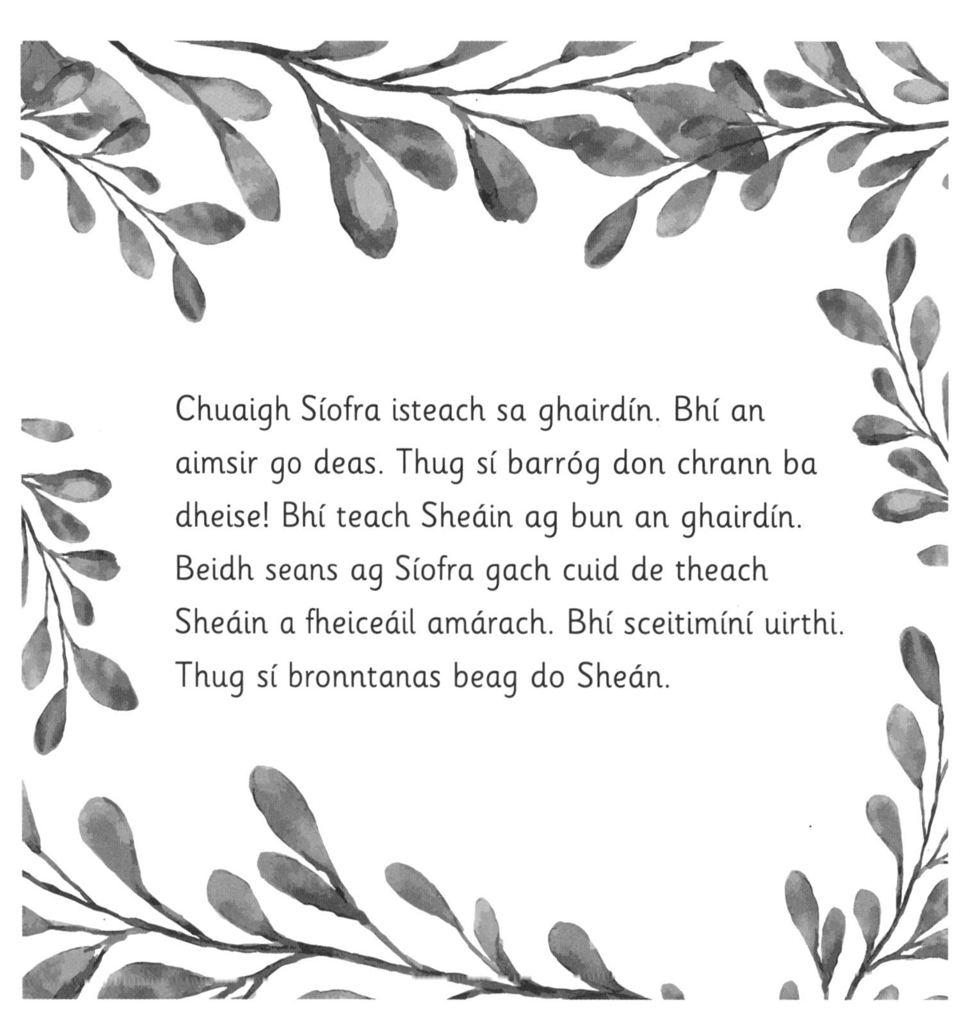

Chuaigh Síofra isteach sa ghairdín. Bhí an aimsir go deas. Thug sí barróg don chrann ba dheise! Bhí teach Sheáin ag bun an ghairdín. Beidh seans ag Síofra gach cuid de theach Sheáin a fheiceáil amárach. Bhí sceitimíní uirthi. Thug sí bronntanas beag do Sheán.

C Cuir líne faoi aon bhotún.

Smaoinigh ar na réamhfhocail.

Bhí Mairéad agus Tomás sa baile inné. Thug siad dhá leabhar don buachaill. Thug siad dhá leabhar eile do Siobhán. Bhí áthas orthu mar thug Siobhán mála dóibh. D'fhéach Mairéad agus Tomás isteach sa mála. Thug Siobhán milseáin do Mairéad agus thug sí sú oráiste do Tomás.

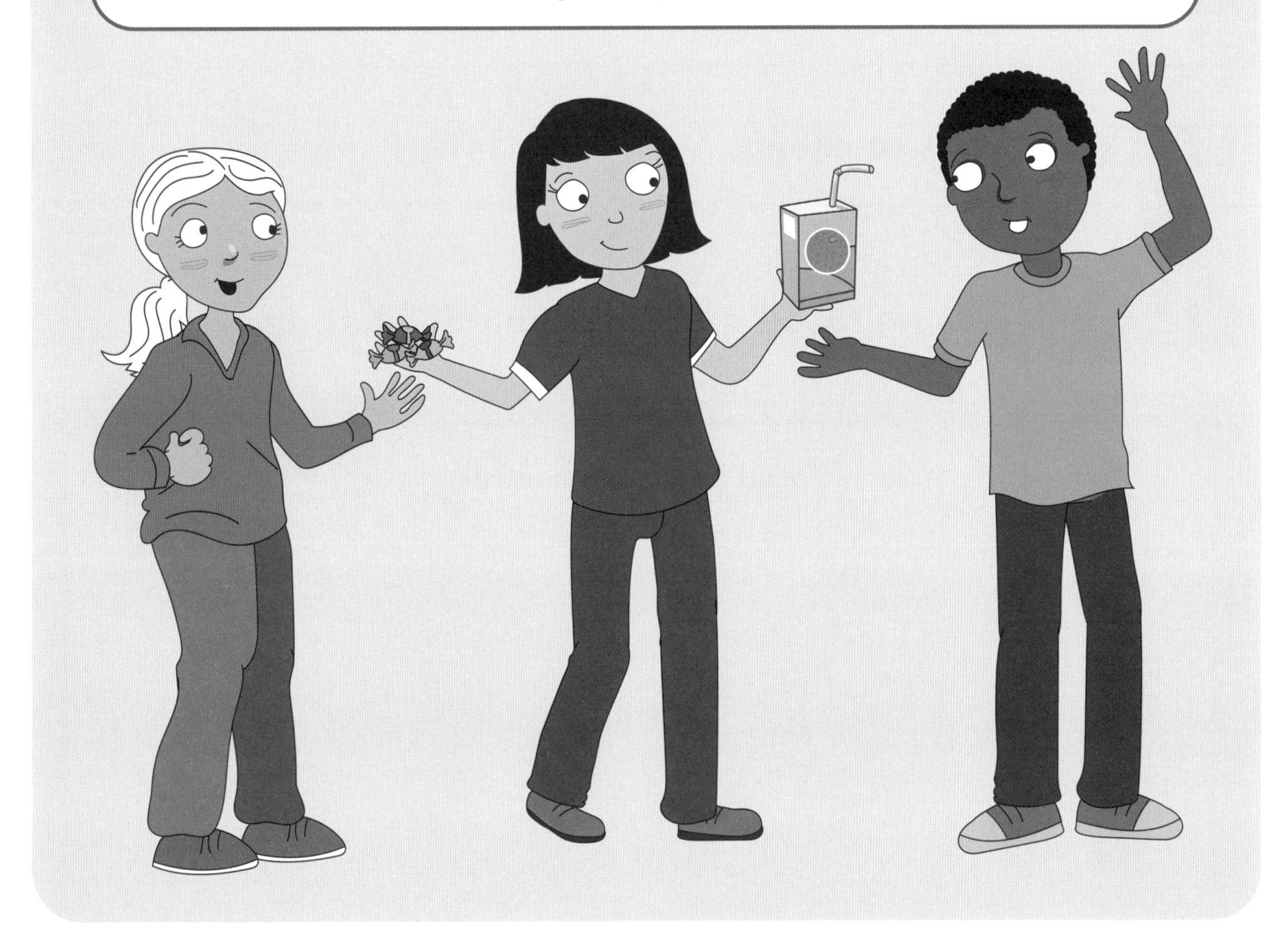

D In bhur mbeirteanna, cuirigí na réamhfhocail 'de', 'do' agus 'sa' isteach in abairtí.

Ná déan dearmad ar an séimhiú (+ h).

1. de: ____________________
2. do: ____________________
3. sa: ____________________

A **Scríobh síos sé fhocal nua a d'fhoghlaim tú an tseachtain seo.**

1. ______________________ 4. ______________________
2. ______________________ 5. ______________________
3. ______________________ 6. ______________________

B **Téigh amach sa chlós.**

Scríobh na focail nua ar an talamh.

C **Scríobh síos na focail nua a scríobh do chairde.**

Focail nua ó mo chairde

D **Roghnaigh trí fhocal nua.**

Cuir isteach in abairtí iad.

1. ____
2. ____
3. ____

Snáithe: Teanga ó bhéal **Gné:** Cumarsáid TF 1; Fiosrú agus úsáid TF 8

An Diaspóra

An Teanga Bheo | Comhráite

Roghnaigh pictiúr.

Labhair faoin rud a fheiceann tú.

1. 

2. 

3. 

4. 

5. 

6. 

7. 

8. 

9. 

10. 

Frásaí úsáideacha

Roghnaigh mé bosca a haon/dó/trí ... Feicim ... sa phictiúr.

foirgneamh droichead eas dealbh comhartha

páirc súgartha páirc shiamsaíochta théama ilstórach spéire

Snáithe: Teanga ó bhéal **Gné:** Cumarsáid TF 1, 2

Seánra: Scríbhneoireacht Shóisialta

A Scríobh cárta poist.

Scríobh cárta poist chuig do chara mar gheall ar do thuras chuig Nua-Eabhrac. Líon an ghreille ar dtús.

Dáta:	Ainm:
Tús:	Radharc:
Deireadh:	Seoladh:

Tús — Ainm — Dáta — Seoladh — Deireadh

____

A ______________,
Conas 'tá tú? Tá mé i ______________
______________! Is breá liom
______________ ______________
Chuaigh mé go ______________
____
D'ith mé ______________
____
D'fhan mé i ______________
____
Chuaigh mé chuig cluiche ______________
____
Chomh maith leis sin, ______________
____
____
____
Slán go fóill!
____

____
____
____
____

B Tarraing pictiúr.

Tarraing pictiúr de Nua-Eabhrac le cur ar chárta poist.

C Fíor nó bréagach?

1. Tá club CLG sa Téalainn. F / B
2. Tá club CLG i gCeanada. F / B
3. Tá club CLG san Airgintín. F / B
4. Tá club CLG sa tSibéir. F / B
5. Tá club CLG sa tSeapáin. F / B

Críochnaigh an tsamhail.

1. Chomh láidir ...	leis na cnoic 
2. Chomh bán ...	le rí 
3. Chomh fuar ...	le sneachta
4. Chomh tapa ...	le capall 
5. Chomh sean ...	le féar 
6. Chomh glas ...	le seilide 
7. Chomh mall ...	le leac oighir 
8. Chomh glic ...	le luch 
9. Chomh saibhir ...	le giorria 
10. Chomh ciúin ...	le sionnach 

B Cuir beocht sa tsamhail.

Roghnaigh samhail amháin ón liosta agus déan na geáitsí. Déanfaidh do chara cainte iarracht an tsamhail a ainmniú. Cuir tic in aice le d'ainm nuair a bhíonn an ceart agat.

D'ainm: ____________	✔	**Ainm do chara cainte:** ____________	✔

C Cruthaigh do shamhlacha féin.

1. Chomh láidir ____________
2. Chomh bán ____________
3. Chomh fuar ____________
4. Chomh mall ____________
5. Chomh saibhir ____________

Frásaí úsáideacha

le tarbh   le cré   le púca   le banríon   le turtar

A Líon na bearnaí. Tarraing bróga deasa freisin.

duit
maidin
orm
airgead
bróga
Fómhair
deasa
galánta
Gréasaí
grá
clú

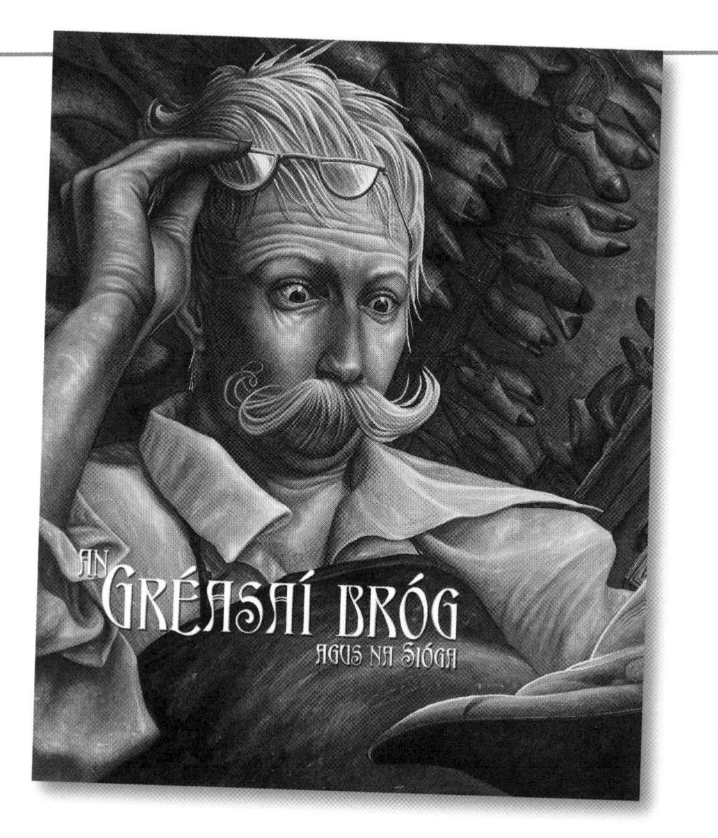

Deireadh __________ 2023

Dia __________,

Tá áthas __________. Ní raibh __________ agam. Ghearr mé amach na __________. Ach d'éirigh mé ar __________ agus bhí bróga __________ ar an mbínse.

Tá __________ agus cáil orm anois! Nach bróga __________ iad! →

Le __________,

An __________ Bróg

Seoladh

____
____
____
____

Snáithe: Teanga ó bhéal **Gné:** Cumarsáid TF 2
Snáithe: Léitheoireacht **Gné:** Fiosrú agus úsáid TF 8

13

Blaganna

Cultúr **Ainmhithe**

Seo roinnt logainmneacha atá bunaithe ar ainmhithe.

In bhur mbeirteanna, léigí amach os ard iad.
Cuir an logainm san áit cheart ar an léarscáil.

Bain úsáid as www.logainm.ie chun cabhrú leat!

1. Gort na bhFia (Gaillimh)
2. Coill na gCoiníní (Luimneach)
3. Cnocán an Ghiorria (Corcaigh)
4. Clais an Mhic Tíre (Tiobraid Árann)
5. Carraig na Sionnach (Lú)
6. Dún Bó (Doire)
7. Gleann na gCaorach (Baile Átha Cliath)
8. Ros Muc (Gaillimh)
9. Baile Locha Capaill (Tiobraid Árann)

10. An Tarbh (Corcaigh)

Snáithe: Léitheoireacht **Gné:** Cumarsáid TF 1
Snáithe: Scríbhneoireacht **Gné:** Tuiscint TF 3

A Is blagálaí thú!

Cruthaigh do bhlag féin.

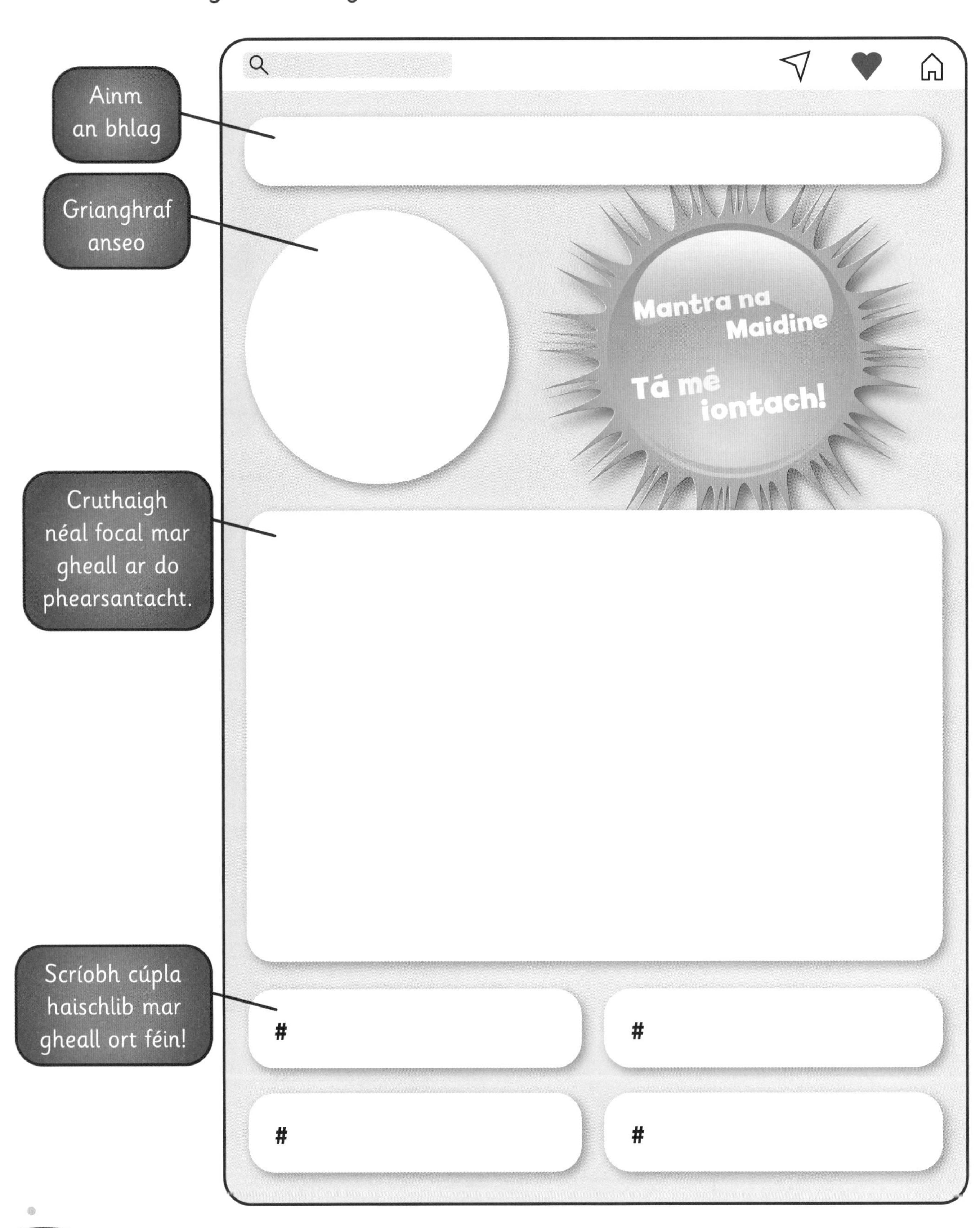

B Taispeáin do bhlag do do ghrúpa.

a. Scríobh síos na haischlibeanna atá ag do ghrúpa anseo.	b. Breathnaígí timpeall an ranga agus cruthaígí haischlibeanna a bhaineann le bhur rang anseo.

C Léigh obair do chara cainte.

Snáithe: Teanga ó bhéal **Gné:** Cumarsáid TF 1
Snáithe: Scríbhneoireacht **Gné:** Cumarsáid TF 1; Tuiscint TF 3

Líon isteach an ghreille.

	Ag	Do	Le	Ar
mé				
tú				
sé				
sí				
sinn				
sibh				
siad				

B Athraigh na focail idir lúibíní.

1. Tá cóta (ar + mé) ________________.
2. Tá súile glasa (ag + tú) ________________.
3. Tá gruaig dhonn (ar + tú) ________________.
4. Thug sí an leabhar (do + iad) ________________.
5. Tá scornach thinn (ar + é) ________________.
6. Tá Máire in éineacht (le + é) ________________.
7. D'fhág mé slán (le + iad) ________________.
8. Thug mé milseáin (do + tú) ________________ inné.
9. Tá hataí breátha (ar + sibh) ________________.
10. Tá gruaig rua (ar + í) ________________.

C Roinn teachtaireacht rúnda.

Tosaíonn páiste A.

A Téigh amach sa chlós.

Scríobh síos haischlibeanna dearfacha mar gheall ort féin ar an talamh. Mar shampla:

B Scread amach an mantra!

Léim suas san aer agus scread amach an mantra seo le chéile.

Snáithe: Teanga ó bhéal **Gné:** Cumarsáid TF 1; Fiosrú agus úsáid TF 10
Snáithe: Léitheoireacht **Gné:** Fiosrú agus úsáid TF 10

Scoileanna

14

An Teanga Bheo Díospóireachtaí Foirmiúla

Cad é do thuairim?

Léifidh an múinteoir amach gach ráiteas. Téigh chuig an gcúinne ceart i do sheomra.

Cúinne 1: Aontaím go láidir. 	**Cúinne 2:** Aontaím. 
 **Cúinne 3:** Easaontaím.	 **Cúinne 4:** Easaontaím go láidir.

Ráiteas

1. Ba chóir dúinn éadaí scoile a chaitheamh.
2. Ba chóir dúinn ceithre lá a chaitheamh ar scoil gach seachtain.
3. Ba chóir dúinn obair bhaile a dhéanamh gach oíche.
4. Ba chóir dúinn lón sláintiúil a ithe.
5. Ba chóir dúinn corpoideachas a dhéanamh gach lá ar scoil.
6. Ba chóir dúinn foghlaim allamuigh a dhéanamh gach lá.
7. Ba chóir dúinn bia a fhás sa chlós.
8. Ba chóir dúinn am lóin níos faide a bheith againn gach lá.

Snáithe: Teanga ó bhéal **Gné:** Cumarsáid TF 1
Snáithe: Léitheoireacht **Gné:** Cumarsáid TF 1

Seánra: Scríbhneoireacht Áititheach

A Cá bhfuil na scoileanna seo, meas tú?

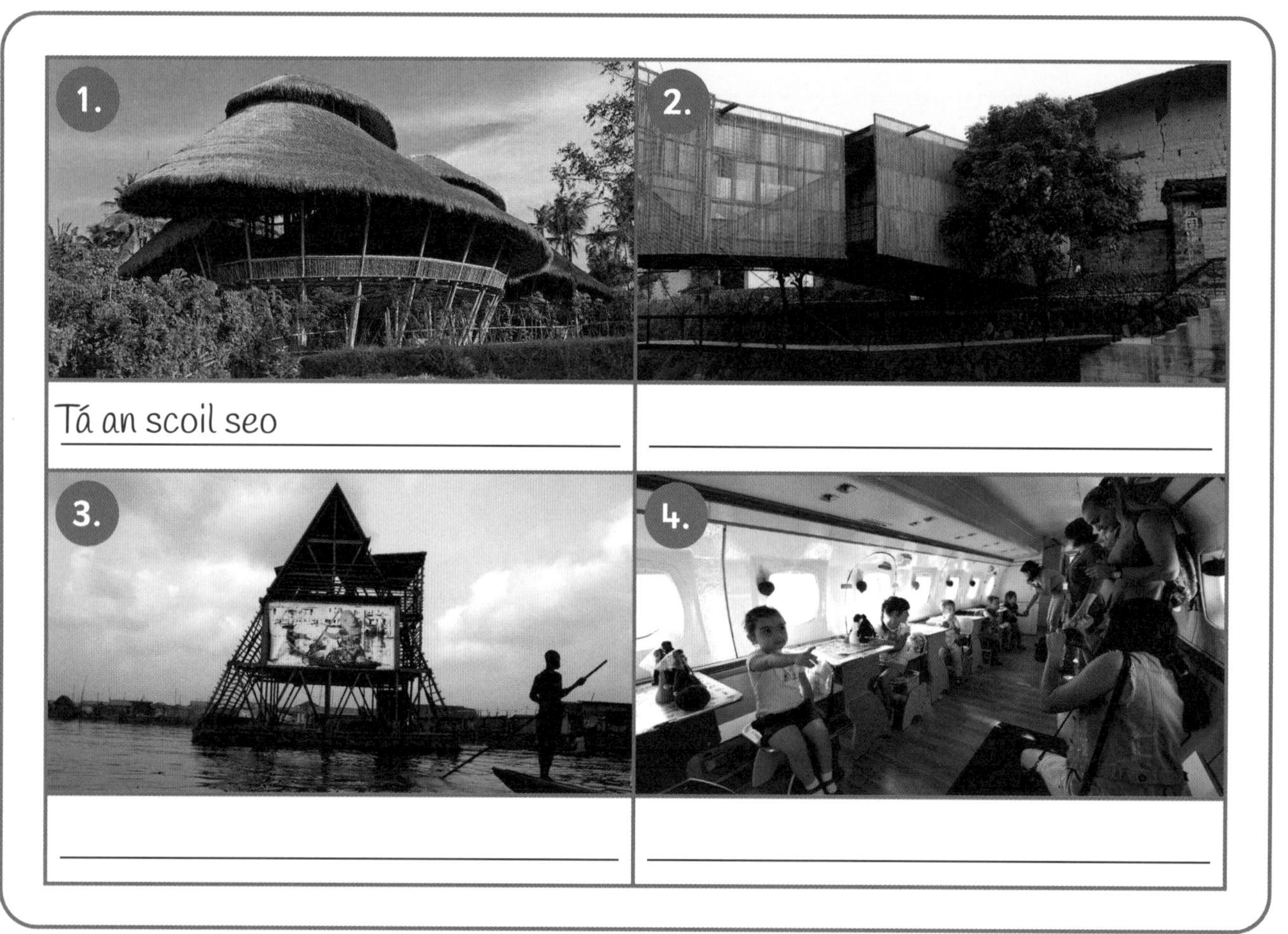

B Cén scoil is fearr leat? Cén fáth?

Is fearr liom ______________________________

____

______________________________.

C Dear scoil nua.

Tá scoil nua á tógáil i do cheantar. Céard ba mhaith leat sa scoil seo? Beidh tú ag labhairt leis an mBord Bainistíochta faoi. Scríobh do script.

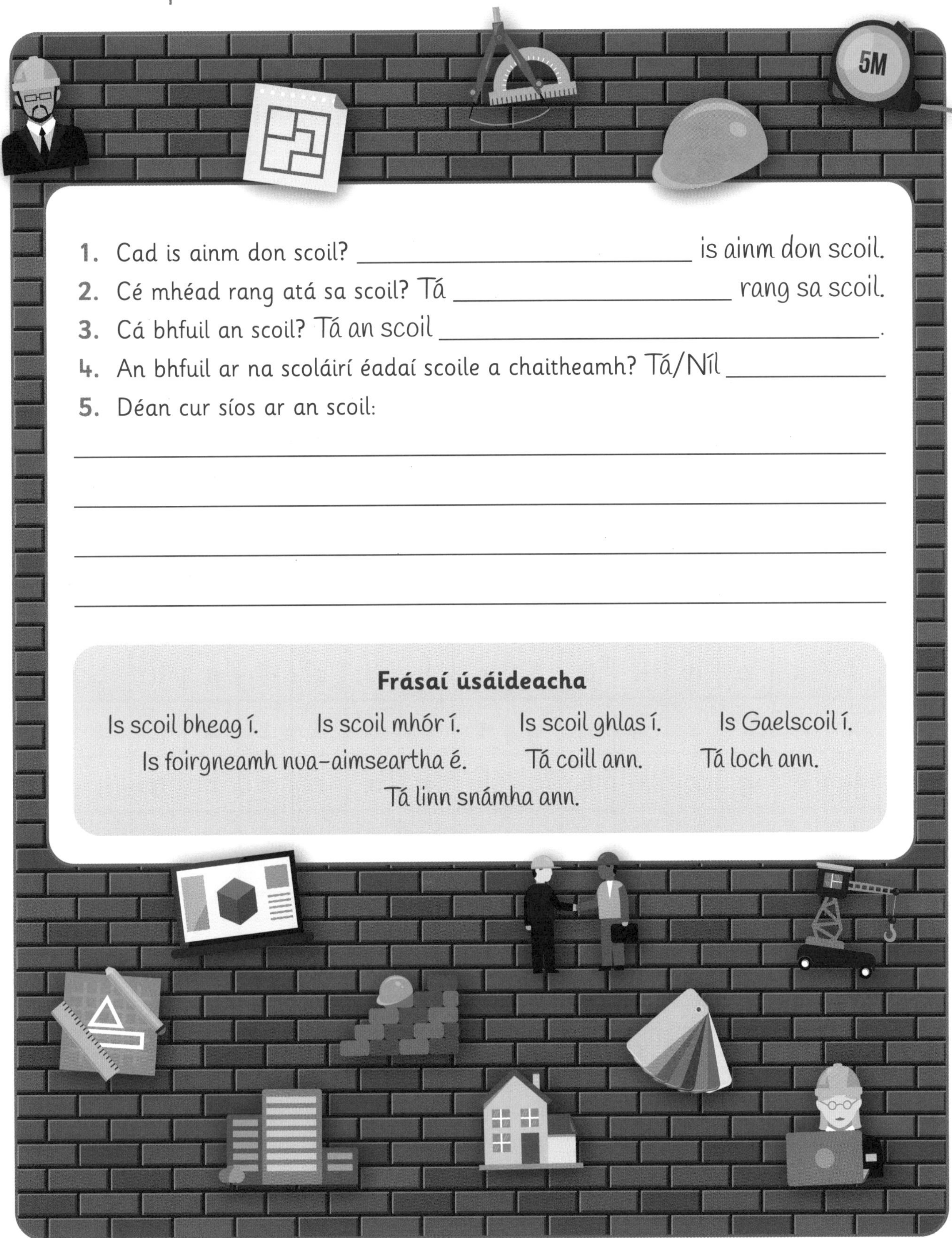

1. Cad is ainm don scoil? ______________________ is ainm don scoil.
2. Cé mhéad rang atá sa scoil? Tá __________________ rang sa scoil.
3. Cá bhfuil an scoil? Tá an scoil ______________________________.
4. An bhfuil ar na scoláirí éadaí scoile a chaitheamh? Tá/Níl __________
5. Déan cur síos ar an scoil:

____

____

____

____

Frásaí úsáideacha

Is scoil bheag í. Is scoil mhór í. Is scoil ghlas í. Is Gaelscoil í.
Is foirgneamh nua-aimseartha é. Tá coill ann. Tá loch ann.
Tá linn snámha ann.

Snáithe: Léitheoireacht **Gné:** Tuiscint TF 6
Snáithe: Scríbhneoireacht **Gné:** Fiosrú agus úsáid TF 6

Fónaic/Litriú -lann

Aimsigh na focail.

pictiúrlann	naíolann
amharclann	cartlann
spórtlann	cógaslann
bialann	iarsmalann
cultúrlann	leabharlann

l	i	a	r	s	m	a	l	a	n	n	s	r	v	a
z	z	c	h	h	p	s	b	h	l	i	a	r	i	m
q	x	v	a	b	i	t	p	i	v	r	p	l	m	h
t	z	l	u	r	c	i	w	ó	a	o	z	j	o	a
p	c	y	j	n	t	u	s	k	r	l	s	c	m	r
y	k	q	o	a	i	l	l	o	s	t	a	y	g	c
f	x	c	n	k	ú	l	a	t	b	z	l	n	h	l
x	n	ó	e	n	r	g	t	n	ú	d	t	a	n	a
h	e	g	z	k	l	t	k	r	n	r	c	c	n	n
l	e	a	b	h	a	r	l	a	n	n	l	m	n	n
a	y	s	z	x	n	h	w	j	a	q	r	a	b	l
e	v	l	o	p	n	f	h	y	a	k	o	h	n	g
z	k	a	r	o	f	m	g	g	j	l	m	f	m	n
a	h	n	o	f	w	x	n	a	í	o	l	a	n	n
m	d	n	m	p	l	h	c	d	s	w	e	d	m	j

Déan cur síos ar fhoirgneamh.

In bhur mbeirteanna, roghnaígí foirgneamh ar an leathanach roimhe seo. Déan cur síos ar an bhfoirgneamh le do chara chainte.

A Cén sórt duine thú?

Cuir tic sa bhosca.

Is duine néata mé.	☐	Ní duine néata mé.	☐
Is duine eagraithe mé.	☐	Ní duine eagraithe mé.	☐
Is duine cainteach mé.	☐	Ní duine cainteach mé.	☐
Is duine greannmhar mé.	☐	Ní duine greannmhar mé.	☐
Is duine cróga mé.	☐	Ní duine cróga mé.	☐
Is duine spórtúil mé.	☐	Ní duine spórtúil mé.	☐
Is duine fuinniúil mé.	☐	Ní duine fuinniúil mé.	☐
Is duine leisciúil mé.	☐	Ní duine leisciúil mé.	☐
Is duine spraíúil mé.	☐	Ní duine spraíúil mé.	☐
Is duine ceolmhar mé.	☐	Ní duine ceolmhar mé.	☐

B Cuir ceist ar do chara cainte.

Zúnna

15

An Teanga Bheo

Argóintí agus Díospóireachtaí Neamhfhoirmiúla

A Féach ar an bhfíseán.

Déan na gníomhaíochtaí.

1. Scríobh síos na hainmhithe ar fad a luann an dalta scoile.

____

2. An aontaíonn tú leis na ráitis seo?

Ráitis
1. Is príosún é an zú.
2. Ba chóir dúinn ainmhithe a fhágáil san fhiántas.
3. Is áit shábháilte í zú d'ainmhithe.
4. Níl go leor spáis sa zú d'ainmhithe.
5. Cabhraíonn an zú le hainmhithe atá i mbaol.

3. Seo an focal 'zú' i dteangacha eile. Ceangail an focal leis an teanga agus an mbratach.

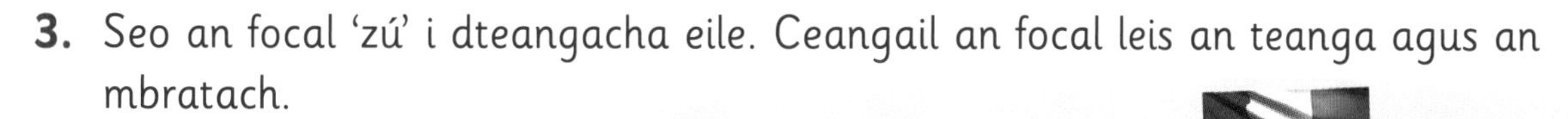

Zú	Sínis
Zoo	Spáinnis
Jardin zoologique	Polainnis
Ogród zoologiczny	Gearmáinis
Tierpark	Gaeilge
Zoológico	Béarla
动物园	Fraincis

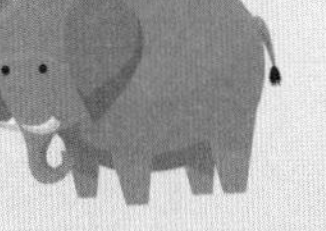

Snáithe: Léitheoireacht **Gné:** Tuiscint TF 6
Snáithe: Scríbhneoireacht **Gné:** Fiosrú agus úsáid TF 6

A Tarraing léarscáil.

Tá tú ag obair sa zú. Caithfidh tú léarscáil a tharraingt den zú.

Ná déan dearmad

Ainm an zú   Tithe na n-ainmhithe   Leithreas   Bialann
Siopa   Fáiltiú   Slí amach

Léarscáil

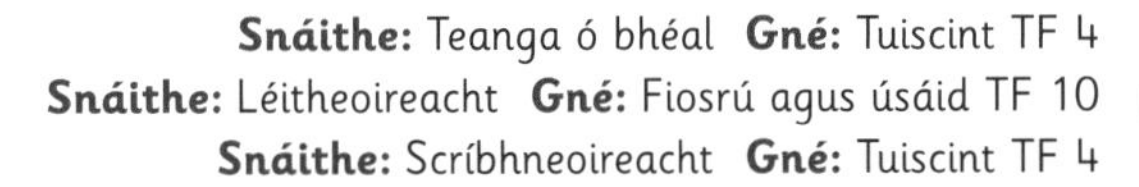

Snáithe: Teanga ó bhéal **Gné:** Tuiscint TF 4
Snáithe: Léitheoireacht **Gné:** Fiosrú agus úsáid TF 10
Snáithe: Scríbhneoireacht **Gné:** Tuiscint TF 4

Gramadach — An Aimsir Láithreach

An Aimsir Láithreach
= Anois/I gcónaí

Féach! Tá na briathra seo san Aimsir Láithreach.

Bailím	Ceannaím
Bailíonn tú	Ceannaíonn tú
Bailíonn sé/sí	Ceannaíonn sé/sí
Bailímid	Ceannaímid
Bailíonn sibh	Ceannaíonn sibh
Bailíonn siad	Ceannaíonn siad

Ná déan dearmad
caol le caol, leathan le leathan

A Imir an cluiche.

Caith an dísle. Bog ar aghaidh. Abair an briathar amach os ard agus cuir isteach in abairt é.

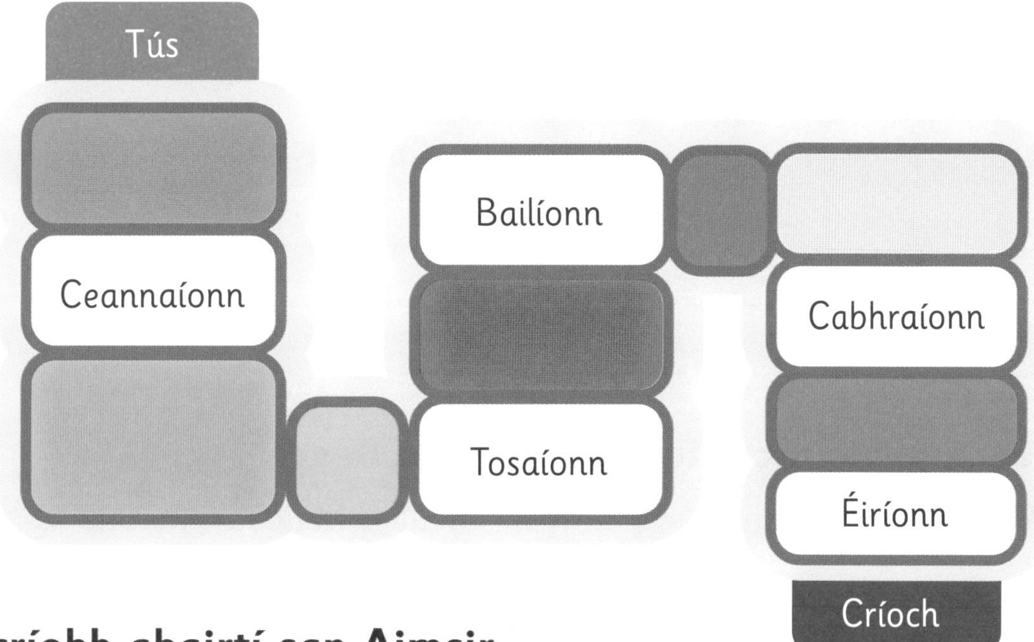

B Scríobh abairtí san Aimsir Láithreach.

Scríobh abairtí leis na briathra thuas. Úsáid na frásaí.

1. ____________________
2. ____________________
3. ____________________
4. ____________________
5. ____________________

Frásaí
- gach lá
- i gcónaí
- an t-am ar fad
- gach maidin
- gach mí
- milseáin
- an tréidlia leis na hainmhithe
- an scoil ag a naoi
- mo Mham
- go luath
- mo Dhaid
- mé

Snáithe: Léitheoireacht **Gné:** Tuiscint TF 5
Snáithe: Scríbhneoireacht **Gné:** Tuiscint TF 4

Fónaic/Litriú Iolra + a

Leabhar Pictiúr Ó Bhó, Na Beacha!

A Scríobhaigí na focail san uimhir iolra.

Mar shampla: beach ➔ beach + a = beacha

1. fuinneog = ____________________
2. pictiúrlann = ____________________
3. ciaróg = ____________________
4. dánlann = ____________________
5. spórtlann = ____________________
6. gráinneog = ____________________
7. bileog = ____________________
8. cuileog = ____________________
9. spideog = ____________________
10. barróg = ____________________

B Féach ar na pictiúir in Ó Bhó, Na Beacha!

In bhur mbeirteanna, abraigí an méid a fheiceann sibh.

Cad a fheiceann tú sna pictiúir?

Feicim ... sa phictiúr.

C Scríobh síos aon fhocal nach dtuigeann tú in Ó Bhó, Na Beacha!

Bain úsáid as foclóir.

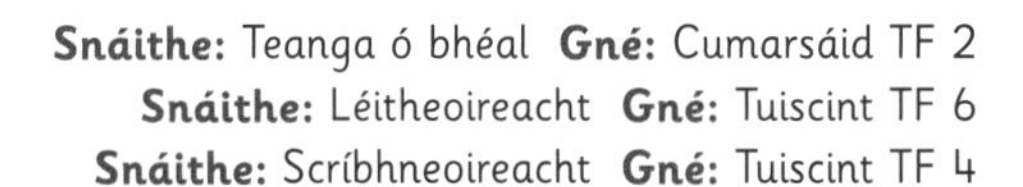
Snáithe: Teanga ó bhéal **Gné:** Cumarsáid TF 2
Snáithe: Léitheoireacht **Gné:** Tuiscint TF 6
Snáithe: Scríbhneoireacht **Gné:** Tuiscint TF 4

Bia

16

Cultúr Timpeall na Tíre

Bain taitneamh as an tráth na gceist.

In bhur ngrúpaí, freagraígí na ceisteanna.
Bainigí úsáid as an idirlíon más gá.

Ainm an ghrúpa:

1. Céard é príomhchathair na hÉireann? ____________
2. Cé mhéad cúige atá in Éirinn? ____________
3. Cé mhéad contae atá i gCúige Uladh? ____________
4. Cé mhéad contae atá i gCúige Mumhan? ____________
5. Cé mhéad contae atá i gCúige Laighean? ____________
6. Cé mhéad contae atá i gCúige Chonnacht? ____________
7. Céard é an contae is lú in Éirinn? ____________
8. Céard é an contae is mó in Éirinn? ____________
9. Cén contae ina bhfuil Cruach Phádraig? ____________
10. Cén cúige ina bhfuil Gaeltacht Ghaoth Dobhair? ____________
11. Cén contae ina bhfuil Aillte an Mhothair? ____________
12. Cén cúige ina bhfuil an Muileann gCearr? ____________
13. Cén contae ina bhfuil Baile Átha an Rí? ____________
14. Cén cúige ina bhfuil Port Láirge? ____________
15. Céard í an abhainn is faide in Éirinn? ____________
16. Cén abhainn a ritheann trí Bhaile Átha Cliath? ____________
17. Cén abhainn ar a bhfuil Corcaigh tógtha? ____________
18. Céard é an loch is mó in Éirinn? ____________
19. Céard é an sliabh is airde in Éirinn? ____________
20. Céard í an áit is áille in Éirinn? ☺ ____________

Snáithe: Léitheoireacht **Gné:** Cumarsáid TF 1
Snáithe: Scríbhneoireacht **Gné:** Tuiscint TF 3

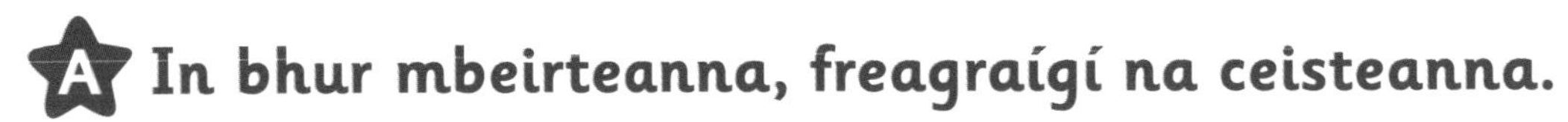

A In bhur mbeirteanna, freagraígí na ceisteanna.

B Tabhair do thuairim faoin mbia.

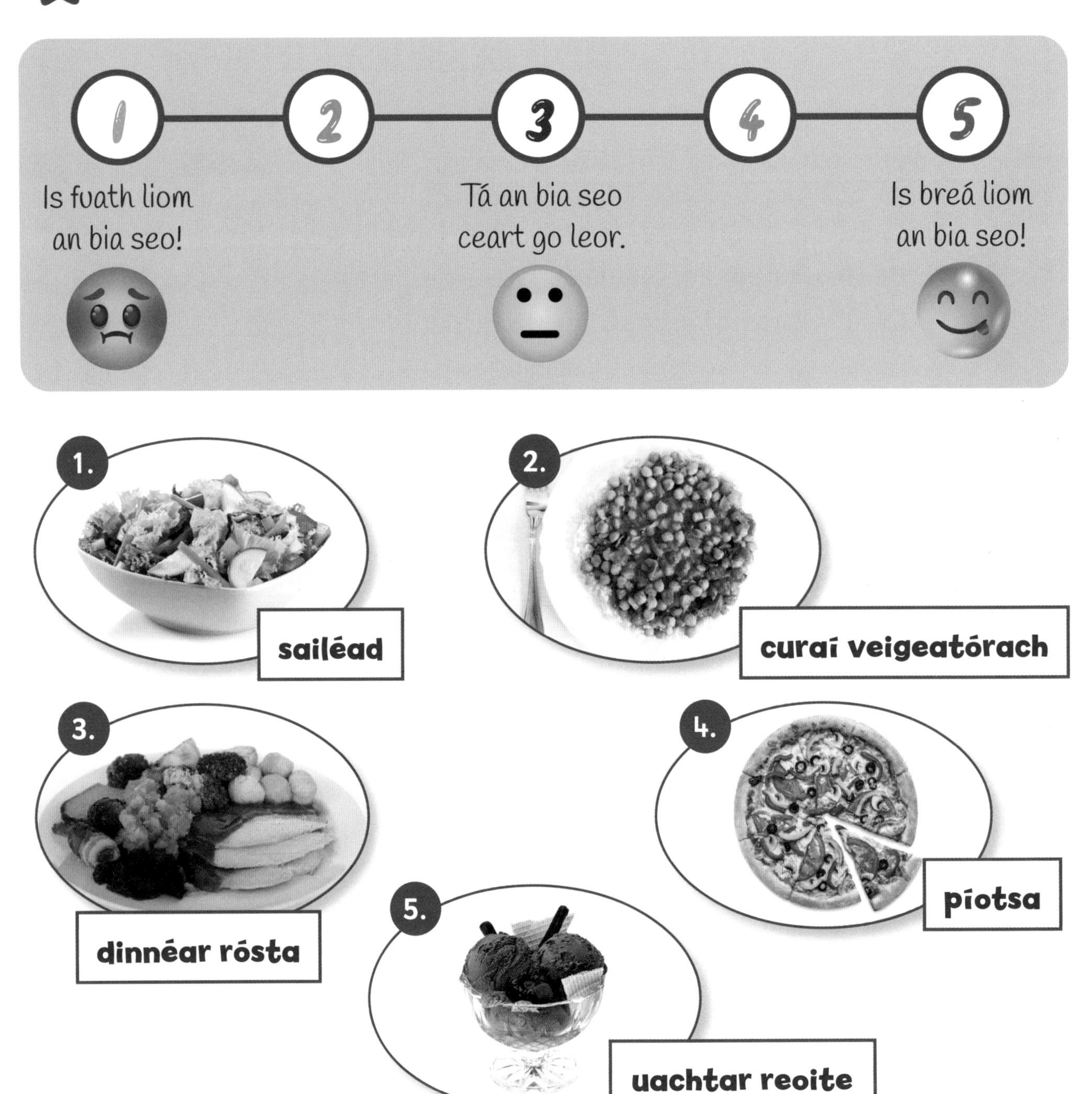

Cuir tic sa bhosca.

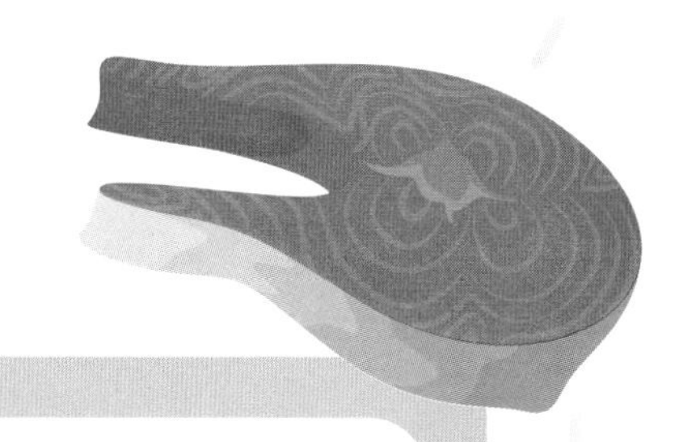

1.	Is veigeatóir mé.	☐	Ní veigeatóir me.	☐
2.	Is veigeán mé.	☐	Ní veigeán mé.	☐
3.	Ithim éisc.	☐	Ní ithim éisc.	☐
4.	Ithim feoil.	☐	Ní ithim feoil.	☐ 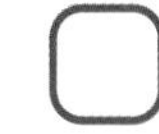

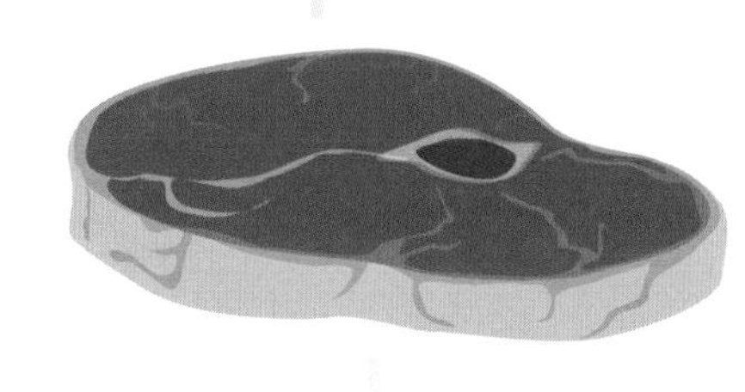

A Cuir an modh san ord ceart.

Ansin, cuir líne faoi gach briathar atá sa Mhodh Ordaitheach.

friochtán

Modh: Conas Pancóga a Dhéanamh

	Doirt an meascán isteach sa fhriochtán.
	Measc an bainne agus an ubh, agus cuir an plúr isteach ann.
	Faigh an friochtán agus déan é a théamh.
	Cócaráil an phancóg ar feadh 3 nóiméad ar thaobh amháin, iompaigh agus ísligh an teas. Cócaráil ar an taobh eile ar feadh dhá nóiméad.
	Measc é go dtí nach mbíonn aon phlúr le feiceáil.

B Cruthaigh néal focal.

Úsáid focail a bhaineann le pancóga chun néal focal a chruthú.

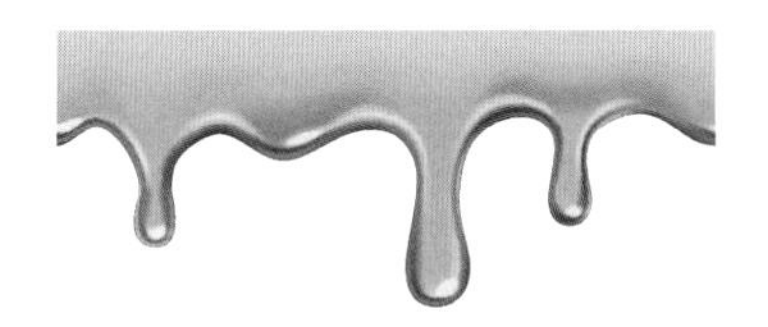

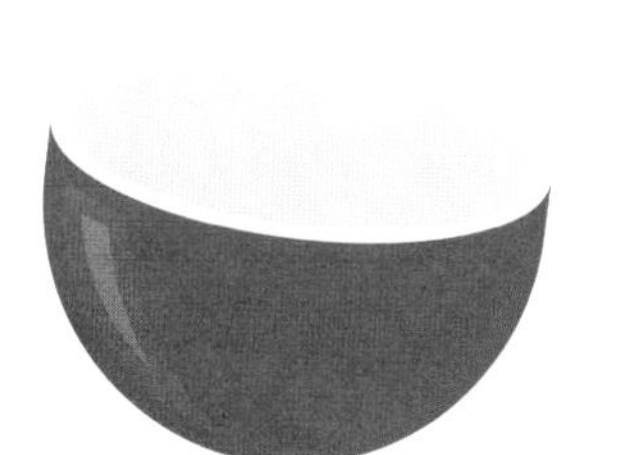

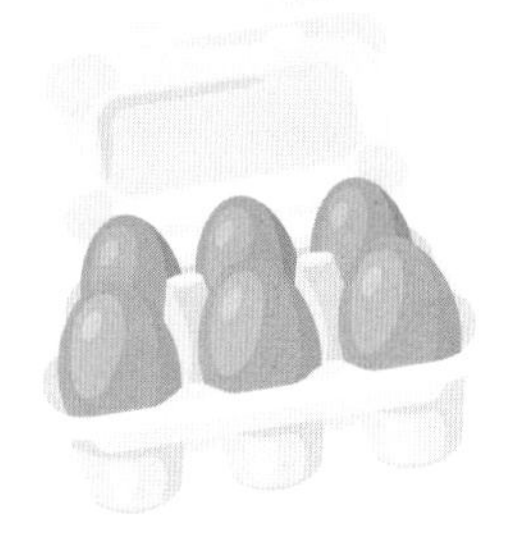

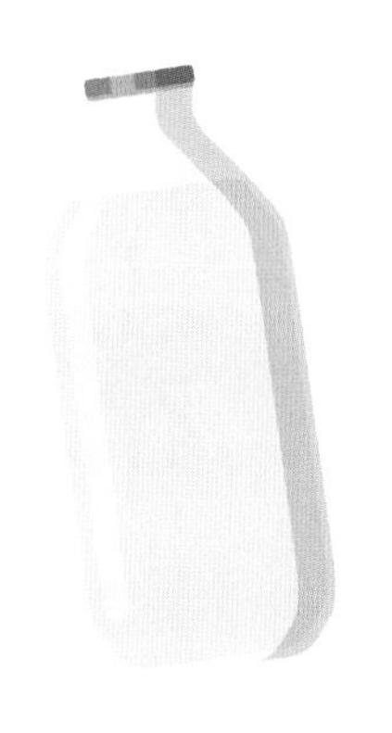

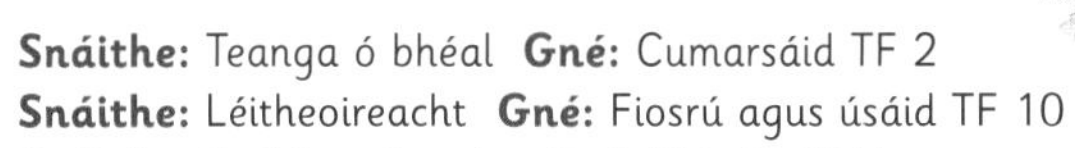

Snáithe: Teanga ó bhéal **Gné:** Cumarsáid TF 2
Snáithe: Léitheoireacht **Gné:** Fiosrú agus úsáid TF 10
Snáithe: Scríbhneoireacht **Gné:** Tuiscint TF 4

A Téigh amach sa chlós.

In bhur mbeirteanna, cumaigí oideas. Íosfaidh na sióga an bia seo! Féach timpeall. Cad a fheiceann tú? Úsáid do shamhlaíocht.

Ainm an oidis: ______________________

Na comhábhair

An modh

Súile Móra Áille

17

An Teanga Bheo | Treoracha a Thabhairt

Féach ar an léarscáil.

Tabhair treoracha do do chara cainte chuig na háiteanna seo a leanas.

An spórtlann
An pháirc imeartha
Stáisiún na nGardaí
An scoil
An leabharlann
An zú

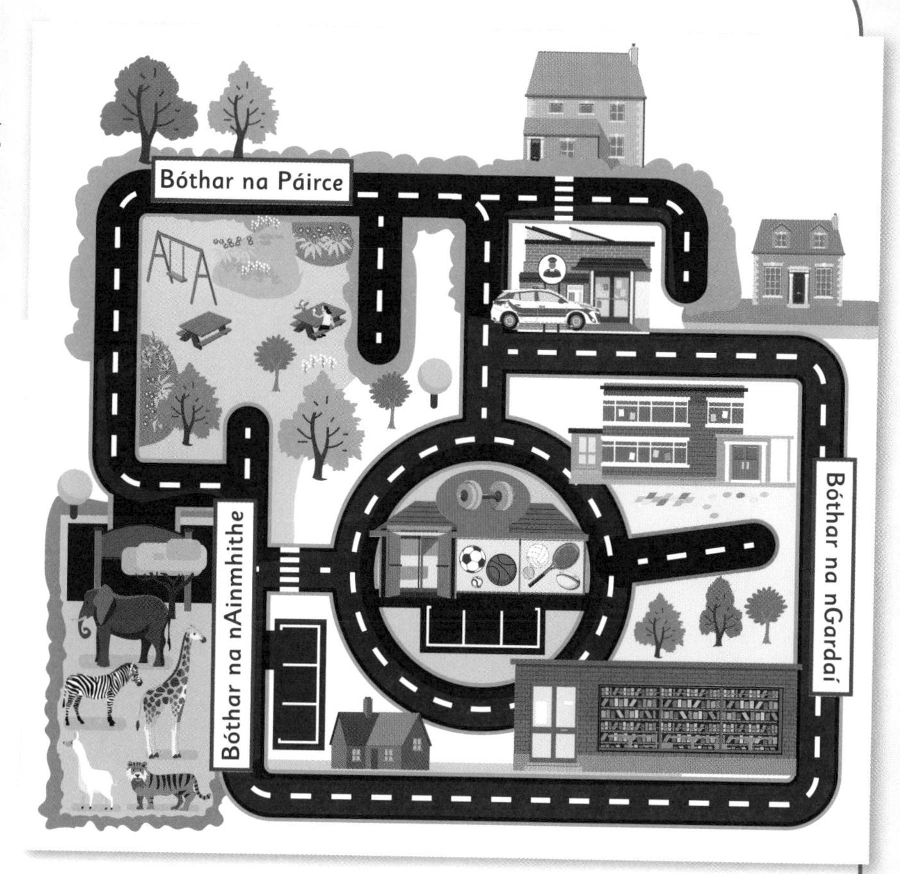

Treoracha

Tóg an chéad chasadh ar chlé. ←	Tóg an dara/tríú casadh ar dheis.
Tóg an chéad chasadh ar dheis. →	Tá ... ar thaobh na láimhe deise.
Díreach ar aghaidh. ↑	Tá ... ar thaobh na láimhe clé.
Tóg an dara/tríú casadh ar chlé.	Tá ... in aice le ...

Snáithe: Teanga ó bhéal **Gné:** Cumarsáid TF 1
Snáithe: Léitheoireacht **Gné:** Cumarsáid TF 1

Seánra: Scríbhneoireacht Ghnásúil

 Ainmnigh baill na súile.

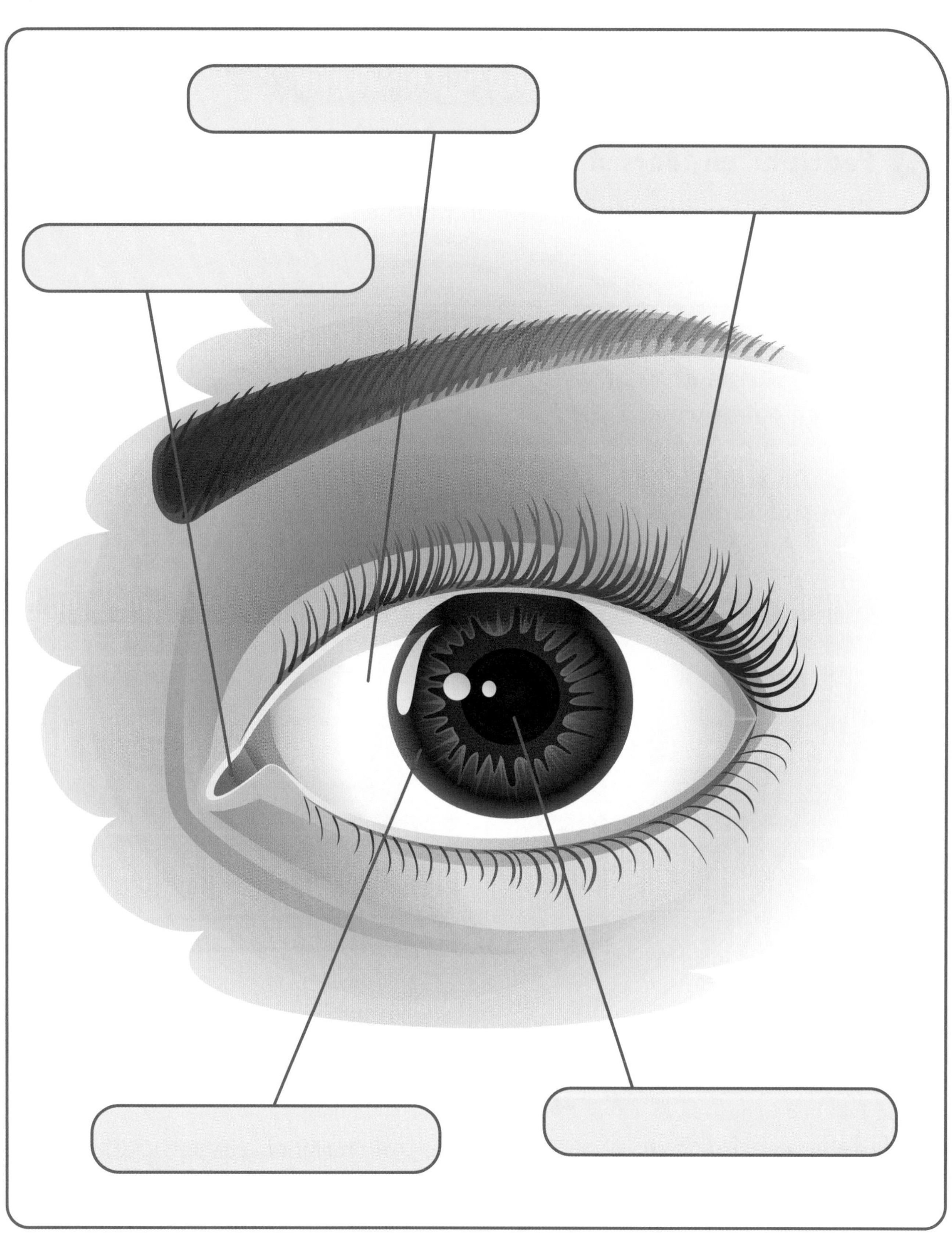

B Scríobh liosta de dhaoine cáiliúla a chaitheann spéaclaí.

C Tarraing na treoracha.

Léigí na habairtí thíos agus tarraing na treoracha.

1. Ná suigh in aice leis an teilifís.

2. Caith spéaclaí gréine i rith an tsamhraidh.

3. Ná féach suas ar an ngrian nuair a bhíonn sé ag lonradh ort.

4. Ith bia atá lán le vitimín A.

A Déan an crosfhocal trí na téarmaí gramadaí a ainmniú.

forainm réamhfhoclach   ainmfhocal   aimsir láithreach   uimhreacha
míonna na bliana   réamhfhocal   aimsir fháistineach   aimsir chaite   aidiacht
uimhreacha pearsanta

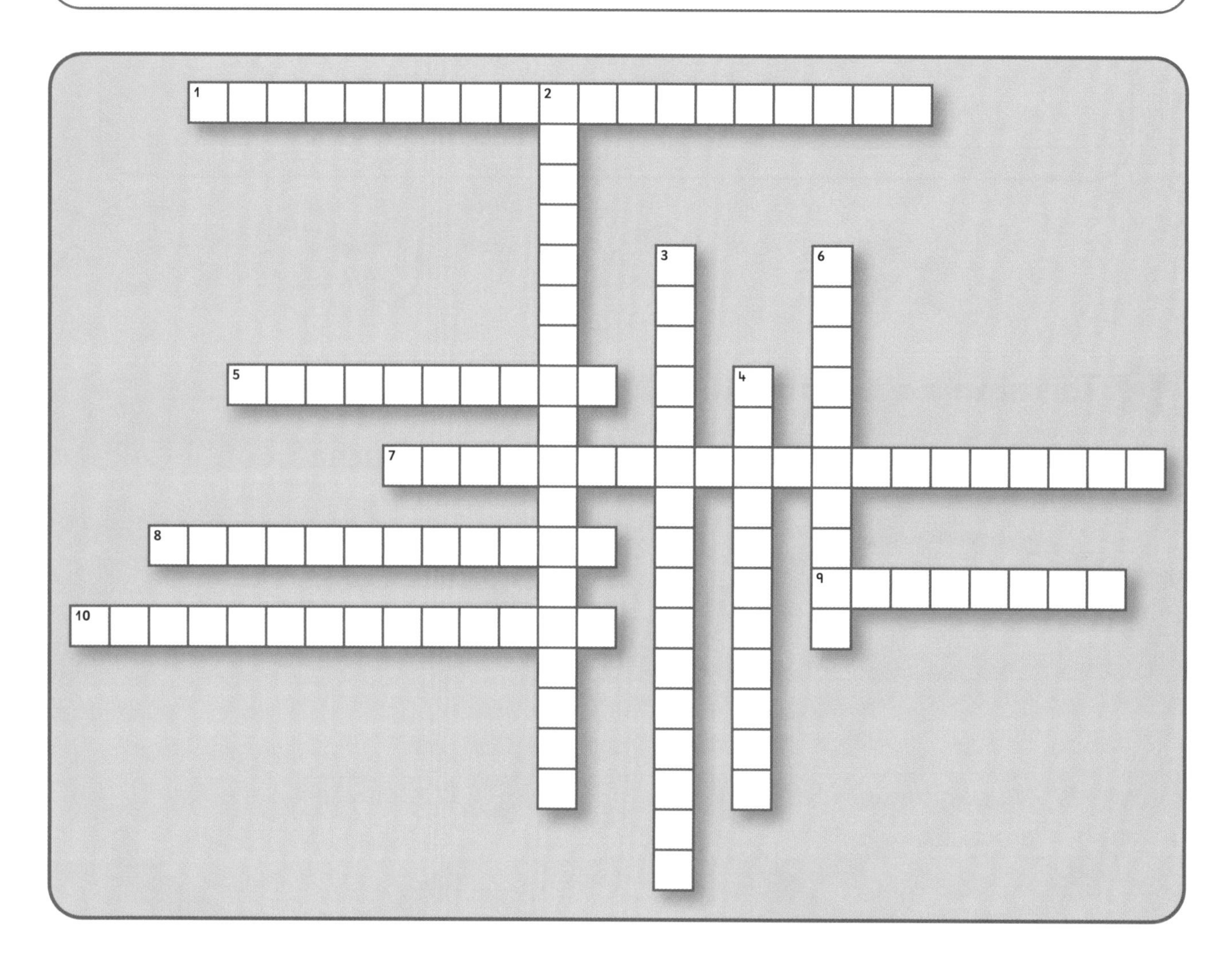

Trasna

1. duine, beirt, triúr, ceathrar
5. 1, 2, 3, 4, 5, 6, 7
7. agam, agat, aige, aici
8. rinne, ghlan, chuir, chonaic
9. maith, glan, gorm, deas
10. Eanáir, Feabhra, Márta

Síos

2. déanfaidh, glanfaidh, íosfaidh
3. glanann, déanann, itheann
4. ar, do, do, faoi, mar, ó
6. bean, fear, cáca, mála

B Críochnaigh na habairtí le focail ón gcrosfhocal.

1. Tá mála scoile buí ____________________.

2. Chuir mé an pláta ____________ an mbord.

3. Tá ______________ lá sa tseachtain.

4. ____________________ Ciarán an chistin.

5. Bíonn Lá Fhéile Bríde againn i mí ____________________.

6. Níor thaitin an _______________ le Máire – is maith léi muifíní!

7. Chaith sé t-léine _______________.

8. Nuair a ____________________ an cat an madra, thosaigh sé ag rith.

9. Tá ____________________ sa ghrúpa Coldplay.

10. Cad a ____________________ tú Lá Nollag?

Snáithe: Léitheoireacht **Gné:** Tuiscint TF 6
Snáithe: Scríbhneoireacht **Gné:** Tuiscint TF 4

Líon isteach an ghreille.

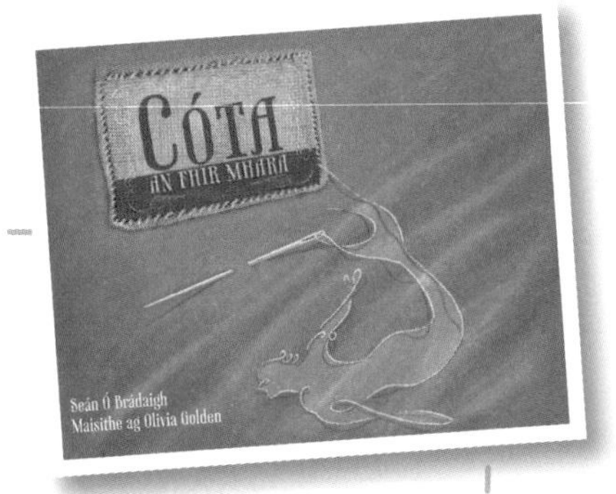

Ainm an leabhair: ______________________

Údar: ______________________

Maisitheoir: ______________________

In bhur mbeirteanna, féachaigí ar an bpictiúr.

Freagair na ceisteanna.

1. Cad a fheiceann tú? Feicim ...
2. Céard iad na dathanna atá sa phictiúr?
3. An maith leat an pictiúr seo?
4. An gcuireann an pictiúr seo ealaín eile i gcuimhne duit?

C Cad é an pictiúr is fearr leat le healaíontóir ar bith?

Tarraing an pictiúr agus líon isteach an ghreille.

Ainm an phictiúir: ______________________

____

____

Ealaíontóir: ______________________

Dáta: ____________

Sonas an Cheoil

An Teanga Bheo **Scéalaíocht**

A In bhur mbeirteanna, cruthaígí scéal faoi shonas.

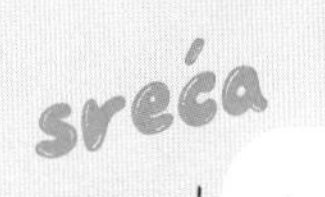

sreća felicidade geluk

Frásaí úsáideacha

Fadó fadó, bhí bean óg ina cónaí in Éirinn ...

Fadó fadó, bhí feirmeoir ina chónaí sa Fhrainc ...

An mhaidin sin ... | An oíche sin ... | An tráthnóna sin ...

Bhuail an bhean óg le ... | Bhí an aimsir go deas ... | D'ith siad ...

D'ól siad ... | Mhair siad go sona sásta as sin amach.

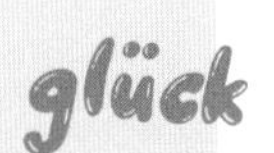

glück

happiness bonheur sonas

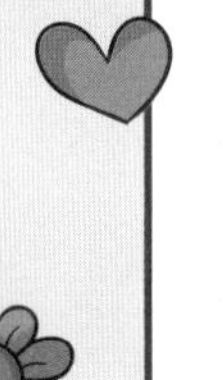

Snáithe: Teanga ó bhéal **Gné:** Cumarsáid TF 1
Snáithe: Scríbhneoireacht **Gné:** Fiosrú agus úsáid TF 6

A Scríobh amach liosta ceoil a chuireann sonas ort.

B In bhur mbeirteanna, déanaigí liosta de rudaí a chabhraíonn leat a bheith sona sásta.

C In bhur mbeirteanna, léigí an dán seo os ard.

Snáithe: Léitheoireacht **Gné:** Cumarsáid TF 1
Snáithe: Scríbhneoireacht **Gné:** Fiosrú agus úsáid TF 6

Líon isteach an féilire.

Conas a chuirfidh tú feabhas ar do chuid Gaeilge i mbliana?

Canfaidh mé ...

Imreoidh mé ...

Mar shampla

Mí Iúil

Léifidh mé an leabhar Gaeilge 'Na Laochra is Lú' le Laoise Ní Chléirigh.

Éistfidh mé le ...

Féachfaidh mé ar ...

M'Fhéilire Gaeilge

Mí Iúil	Mí Lúnasa	Mí Mheán Fómhair
Mí Dheireadh Fómhair	**Mí na Samhna**	**Mí na Nollag**

Labhróidh mé le ...

Scríobhfaidh mé ...

Leabhar Pictiúr — Gairdín Mháire na mBláth

A Féach ar an bhfíseán.

Téigh chuig YouTube agus aimsigh 'Gairdín Mháire na mBláth' (An Gúm). Freagair na ceisteanna.

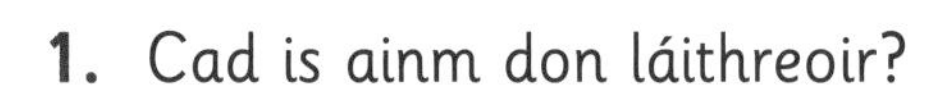

1. Cad is ainm don láithreoir?

2. Cén post atá aici?

3. Cá bhfuil Éanna san fhíseán seo?

4. Cad is ainm do na leabhair?

5. Ainmnigh na bláthanna a luann Éanna.

6. Fíor nó bréagach?
   a. Níl beacha in ann an dath dearg a fheiceáil. F / B
   b. Tá beacha in ann na dathanna gorm agus buí a fheiceáil. F / B

B Ainmnigh na bláthanna seo.

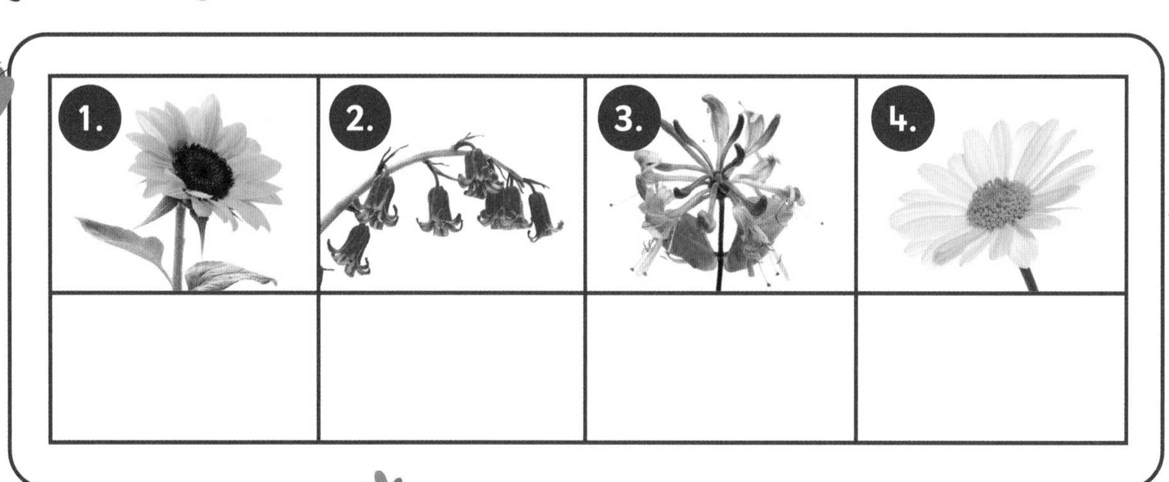

Bleachtaire na Gramadaí

Briathra

Ordú (An Modh Ordaitheach)	Inné (An Aimsir Chaite)	Inniu (An Aimsir Láithreach)	Amárach (An Aimsir Fháistineach)
Suigh	Shuigh tú	Suíonn tú	Suífidh tú
Léigh	Léigh tú	Léann tú	Léifidh tú
Rith	Rith tú	Ritheann tú	Rithfidh tú
Glan	Ghlan tú	Glanann tú	Glanfaidh tú
Dún	Dhún tú	Dúnann tú	Dúnfaidh tú
Ól	D'ól tú	Ólann tú	Ólfaidh tú
Scríobh	Scríobh tú	Scríobhann tú	Scríobhfaidh tú
Tosaigh	Thosaigh tú	Tosaíonn tú	Tosóidh tú
Críochnaigh	Chríochnaigh tú	Críochnaíonn tú	Críochnóidh tú
Oscail	D'oscail tú	Osclaíonn tú	Osclóidh tú
Foghlaim	D'fhoghlaim tú	Foghlaimíonn tú	Foghlaimeoidh tú
	Ar chuir tú?	An gcuireann tú?	An gcuirfidh tú?
Ná cuir!	Níor chuir tú/Chuir tú	Ní chuireann tú/ Cuireann tú	Ní chuirfidh tú/ Cuirfidh tú

Na Briathra Neamhrialta

Ordú (An Modh Ordaitheach)	Inné (An Aimsir Chaite)	Inniu (An Aimsir Láithreach)	Amárach (An Aimsir Fháistineach)
Abair	Dúirt tú	Deir tú	Déarfaidh tú
Beir	Rug tú	Beireann tú	Béarfaidh tú
Bí	Bhí tú	Bíonn tú	Beidh tú
Clois	Chuala tú	Cloiseann tú	Cloisfidh tú
Déan	Rinne tú	Déanann tú	Déanfaidh tú
Faigh	Fuair tú	Faigheann tú	Gheobhaidh tú
Feic	Chonaic tú	Feiceann tú	Feicfidh tú
Ith	D'ith tú	Itheann tú	Íosfaidh tú
Tabhair	Thug tú	Tugann tú	Tabharfaidh tú
Tar	Tháinig tú	Tagann tú	Tiocfaidh tú
Téigh	Chuaigh tú	Téann tú	Rachaidh tú

Na Forainmneacha Réamhfhoclacha

	ag	ar	do	le	roimh	as	ó
mé	agam	orm	dom	liom	romham	asam	uaim
tú	agat	ort	duit	leat	romhat	asat	uait
sé	aige	air	dó	leis	roimhe	as	uaidh
sí	aici	uirthi	di	léi	roimpi	aisti	uaithi
sinn	againn	orainn	dúinn	linn	romhainn	asainn	uainn
sibh	agaibh	oraibh	daoibh	libh	romhaibh	asaibh	uaibh
siad	acu	orthu	dóibh	leo	rompu	astu	uathu

ASPIRE
SUCCEED
PROGRESS

PSYCHOLOGY

for Cambridge International AS & A Level

Revision Guide

2nd edition

Craig Roberts

Oxford excellence for Cambridge AS & A Level

OXFORD